Pfalz

Fotos:
Rudolf Schuler

Text:
Dr. Richard Henk

Verlag:
Brausdruck Gmb
Heidelberg

Copyright:
Brausdruck GmbH
Heidelberg, Oktober 1981

Buch-Gestaltung:
ggmbh
Grafische Gestaltung
Müller Braus + Co,
Heidelberg

Reproduktionen:
W. Gräber GmbH,
Neustadt/Weinstraße

Herstellung:
Brausdruck GmbH
Heidelberg

ISBN 3-921524-67-9

Pfalz

Fränkische Kaiser und ihre Statthalter, die Grafen bei Rhein, haben der Pfalz den Namen und ihre erste landschaftliche Begrenzung gegeben. Die frühen fränkisch-lothringischen Pfalzgrafen haben anfänglich noch ihren Sitz in Aachen, am Niederrhein oder an der Mosel. Aber Hermann von Stahlecks Stammburg liegt schon über Bacharach. Konrad von Staufen regiert das Land bereits unweit von Alzey. Früh bestimmen die Salier Worms zu ihrer Grabkirche, ehe sie als Kaiser nach Speyer überwechseln.

In den Anfängen werden auch weite Teile des Landes von den Klöstern verwaltet. Voran stehen die Klöster Weißenburg, Lorsch, Hornbach und das Stift von Worms. Die Kultivierung des Landes übernimmt bald der mächtig aufkommende Orden der Zisterzienser. Ihre Klosterkirche in Otterberg überschattet mit ihren majestätischen Ausmaßen heute noch den kleinen Ort am Otterbach.

Mit der Übernahme der Grafschaft durch die Wittelsbacher schlägt die eigentliche Geburtsstunde der Pfalz. Das bayrische Geschlecht hat es trotz vieler Wirren verstanden, mit nur kurzen Unterbrechungen bis 1918 Herr des Landes zu bleiben. Bald gehören sie als Kurfürsten von der Pfalz zu den sieben mächtigsten Fürsten des Heiligen Römischen Reiches Deutscher Nation. Eine letzte Abrundung ihrer Macht und die Rechte eines Erztruchsessen bringt ihnen die Goldene Bulle vom Jahre 1356.

In einer langen Kette folgt Name um Name derer, die auf dem Heidelberger Schloß regieren. So gründete Ruprecht I. die Heidelberger Universität, die nach Auflösung des alten Reiches die Stelle Prags als älteste deutsche Hochschule einnehmen wird. Den Wittelsbacher Königen steht das Glück nicht zur Seite. Auch bei König Ruprecht sind die Umstände des geschwächten Reiches gegen ihn und seine Regierung.

Volkstümlichster Kurfürst ist wohl Friedrich der Siegreiche gewesen. Aber die Erfolge des »Pfälzer Fritz« müssen erst erstritten sein. Die Ortschaften der Vorderpfalz haben während seiner hitzigen Gefechte manches zu erleiden. In den Häusern von Landau und Bergzabern wird nur von dem »bösen Fritz« gesprochen. Endlich kann er sich in der Schlacht bei Seckenheim (1462) seiner letzten Widersacher entledigen. Als Gefangene werden der Markgraf von Baden und der Graf von Württemberg durch Heidelberg geführt und in die Verliese des Schlosses gebracht.

Grausame Verwüstungen bringt dem Lande der pfälzisch-bayrische Erbfolgekrieg. Was hier an Zerstörungen geschieht, ist später nur noch von den Franzosen übertroffen worden. Selbst das stolze Kloster Limburg, Kaiser Konrads geliebtes Gotteshaus, wird ein Raub der Flammen.

Danach meiden die Kurfürsten kriegerische Verwicklungen. So können die Bauern Schloß Altleiningen ohne Störung niederbrennen. Erst als sich ihre Scharen rechtsrheinisch wagen, werden sie bei Pfeddersheim vernichtend geschlagen. Lange lassen sie Franz v. Sickingen ungeschoren seine verschiedenen Fehden durchfechten. Als sich der Ritter am Ende gegen den Kurfürsten von Trier wendet, kommen pfälzische Truppen dem bedrängten Trierer zur Hilfe.

In den ersten Jahren der Reformation sind die Kurfürsten von der Pfalz ohne Entschluß. Erst Ottheinrich führt eine lutherische Kirchenordnung ein. Es ist derselbe Fürst, der im Heidelberger Schloß den unvergleichlich schönen Bau im Stil der frühen Renaissance errichtet hat. Unter seinem Nachfolger Friedrich III. entsteht der Heidelberger Katechismus, eine der wichtigsten Schriften der reformierten Kirche. Zahllose Hugenotten strömen nach der Aufhebung des Ediktes von Nantes in das Land und gründen als tüchtige

Tuchmacher in Lambrecht und Frankenthal neue Handelsplätze.

Am Ende gelangt wieder eine katholische Seitenlinie der Wittelsbacher an die Regierung. Durch viele Gotteshäuser werden Mauern gezogen, um den verschiedenen Glaubensrichtungen Raum zu schaffen. In der alten Klosterkirche von Otterberg trennt heute noch eine Wand Langhaus und Querschiff und verwehrt dem Betrachter den vollen Einblick in die mächtigen Gewölbe der ehemaligen Zisterzienser-Abtei.

Elisabethentor und Englischer Bau des Schlosses erinnern an den letzten König der Heidelberger Linie. Seinen Titel verdankt Friedrich V. freilich nur dem Aufstand der böhmischen Stände. In der Schlacht am Weißen Berg verliert der »Winterkönig« wenig später seinen Thron und sämtliche anderen Vorrechte. Die berühmte Heidelberger Handschriftensammlung wandert in die päpstliche Bibliothek. Schlimmer noch ist der Verlust von Landau und Philippsburg, die zu wichtigen Ausgangsstellungen der französischen Heere werden.

Nur eine kurze Atempause ist dem Land nach dem 30jährigen Krieg vergönnt. Schon 1677 werden die meisten Ortschaften des Wasgaues von den Heeren Ludwigs XIV. zerstört. Die Heirat der »Liselotte von der Pfalz« mit dem Herzog von Orléans ist dem Sonnenkönig Anlaß zu weiteren Ansprüchen und Einfällen. Kein anderes Land des alten Reiches hat je solche Verwüstungen erdulden müssen. Das Schicksal der verbrannten Erde (brûlez le Palatinat!) erleiden auch die rechtsrheinischen Städte Heidelberg und Mannheim. Als die Heere des Sonnenkönigs schließlich abziehen müssen, hinterlassen sie nur rauchende Ruinen. Die Kunstdenkmäler des Landes, soweit sie noch erhalten blieben, sind von jenen Jahren gezeichnet und zumeist zum Torso geworden.

Die Pfalz hat sich von diesem Niedergang nicht mehr erholen können. Inzwischen ist die bayrische Linie der Wittelsbacher tonangebend geworden. Karl-Philipp nimmt einen Streit mit dem Heidelberger Magistrat zum Anlaß, seine Residenz nach Mannheim zu verlegen, und errichtete hier eines der größten Barockschlösser Deutschlands.

Das Pfälzer Rokoko trägt den Namenszug des baulustigen Kurfürsten Karl Theodor. In seiner Regierungszeit entsteht auch die berühmte Alte Brücke Heidelbergs, vielbesungen und ein Glanzstück spätbarocker Baukunst. In seiner aufgeschlossenen Residenzstadt Mannheim verweilen Geister wie Voltaire, Lessing und der junge Schiller. Mozart lernt hier das für die damalige Zeit große Orchester kennen, das noch im Geiste von Stamitz konzertiert. Für alle wirtschaftlichen Fragen hat Karl Theodor ein offenes Ohr. Frankenthal verhilft er zu seinen Textilfabriken und zu den Schleusen, welche die neue Industrie mit dem Rhein verbinden. Seine lange Regierungszeit bildet den letzten Höhepunkt pfälzischer Geschichte und zugleich auch ihren Abschluß. 1777 muß der Fürst als Erbfolger seine Residenz nach München verlegen.

Die Pfalz, zuverlässiger Pfeiler des alten Reiches, ist über diesem Wechsel zu einem bayrischen Randgebiet geworden.

Der Pfälzer

Von den herben Prüfungen der Geschichte ist dem Pfälzer nichts anzumerken. Wie eh und je ist er obenauf, der Fröhlichkeit der Stunde zugewandt und stets bereit über eine Salve von Scherzen das Zwerchfell der Gäste in Bewegung zu bringen. Der Pfälzer ist immer im Heiteren gegenwärtig und gehört nicht zu denjenigen, die sich verstecken müssen. Ganz in seinem Innern mag es freilich hie und da anders aussehen.

Manch einer glaubt, dem Pfälzer ohne große Mühe hinter seine Schliche zu kommen. An Gesprächen fehlt es nicht und am Ende glaubt der Frager, den Pfälzer bis ins Mark zu kennen. Weit gefehlt! Wohl ist der Pfälzer rasch mit aller Welt vertraut. In seine Herzlichkeit schließt er jeden ein, der ihm gefällt. Aber zu einer Freundschaft mit ihm gehört doch ein wenig mehr. Spürt er beim andern die uneingeschränkte Bewegung des Herzens, dann fragt er freilich nicht mehr nach der Länge der Bekanntschaft. Wer aber darauf aus ist, ihn über Gebühr auszuforschen oder ihm gar ein Bein zu stellen, dem entwischt er mit dem verschmitzten Augenzwinkern des Humoristen, der in seinem Innern verborgene reiche Keller weiß. Wer also dem Pfälzer nur aufs Maul schaut, der hat nur eine Vorkammer seines Wesens erreicht. Wohl lacht er gelegentlich mehr als seine Zuhörer über die eigenen Witze. Auch kann er überaus laut sein und wird nicht umsonst »Pfälzer Krischer« gescholten. Aber kein Gast kann es mit ihm an Zungenfertigkeit aufnehmen! Seine geistige Wendigkeit hat den französischen Besatzungen viel Kopfzerbrechen gemacht. Nie haben sie recht gewußt, wie sie mit ihm dran sind. Das uralte Spiel – es kann so, aber auch anders sein – das an der Naseherumführen versteht der Pfälzer wie kein anderer. Er ist ein Pfiffikus von besonderer Sorte, ein »Schlitzohr«, der insgeheim wohl weiß, was er will. Wie hätte er auch sonst die Wirrnisse der pfälzischen Geschichte überstehen können!

Der Pfälzer hat einen sechsten Sinn für alles, was um ihn herum geschieht. Lange bevor ein anderer aufschreckt, spürt er die Gefahr im Nacken. Überhaupt hat er Gesichter, hat umrissene Vorstellungen, ehe sein Nachbar darüber zu denken anfängt. Wenn er dennoch munter weiterlacht und sich nichts anmerken läßt, so nur darum, weil er das Fürchten verlernt hat.

Als guter Beobachter versteht er es, mit den Menschen umzugehen. Er schmeckt bei den Weinen nicht nur die Lage heraus, sein Blick erfaßt auch den Wandel, den der Riesling im Gesicht des anderen hervorruft. Ohne sich zu regen, bemerkt er, wie das Verborgene, die Heiterkeit des Herzens und das Gelöste im Gemüt im Mienenspiel des Nachbarn Gestalt annehmen. Aber er rührt nicht daran, er läßt es aufblühen und für Stunden sich ausleben.

Zur rechten Zeit kann der Pfälzer ein festgefahrenes Gespräch mit einem Scherz auflockern. So sehr er den Disput, das Florettieren mit Worten schätzt, nie ist er nachtragend. Ihm liegt vielmehr sehr am Versöhnlichen. Mehr als manch anderer weiß er von der tödlichen Stille, die sich in den Raum schleicht, wenn über einen ernsten Anlaß nicht mehr gesprochen werden kann.

Den andern ist der Pfälzer stets eine Länge voraus. Während der Schwabe noch grübelt, der Sachse bei der halben Lösung angelangt ist und der Rheinländer bereits über die Angelegenheit zu reden beginnt, ist der Pfälzer längst inmitten der Handlung. So rasch er zu seinem Urteil kommt, so flink ist er auch in den Folgerungen!

Der Pfälzer versteht zu leben! Die Wonnestunden schlürft er wie seine Spätlese bis zum letzten Tropfen aus. Die Zeit dazu stiehlt er sich zusammen, ohne daß es jemand merkt. Verschnaufen und genießen sind bei ihm dasselbe. Nur ein Bedauern hat er für jenen, der nicht auf viel Angenehmes, zärtlich Durchkostetes, kurzum nur auf wenig Sonniges zurückschauen kann. Aber ebenso kann der Pfälzer fleißig und strebsam sein und hat mehr als einmal aus einer Wüstenei wieder blühendes Land hervorgebracht. Seine Phantasie ist dem Pulsschlag des Alltags zugewandt. Hier ist ihm der kleinste Ausschnitt wichtig und einer Ausmalung wert. Nicht ohne Grund trifft der Gast allerorts auf einen Schwank der Mundartdichter.

Aus dem Geschauten sucht sich der Pfälzer einen Vers von der Welt zu machen. Lebhafte Farben müssen darinnen sein, so das leuchtende Rot der Sandsteinböden, das satte Rotblau der Portugieserbeere, wie das Grünblau mit einem Schuß Schwärzlichem des Kieferngezweigs. Der Maler Slevogt in Neukastel hat das Farbenkolorit ganz nach Pfälzer Geschmack auf die Leinwand gebracht. Der brandig trockene Geruch des Pfälzer Waldes im Sommer, die dampfende, nach einem Gewitter in neuer Reinheit erstehende Rheinebene müssen darin Platz haben, wie der Duft der Rosen und Lilien in seinem Vorgarten.

Auch wenn Gewölk aufzieht und der Himmel kein blaues Fleckchen mehr aufweist, im Angesicht des Ernsten und Düsteren bleibt der Pfälzer halb sinnender Schelm, halb lachender Weiser. Nichts ist durch ihn verdorben worden. Er hat nur das Lachen und das Scherzen wie das Schmausen nicht vergessen. Zum anderen weiß er sehr wohl, wie wenig der einzelne gegen die Mächte dieser Welt ausrichten kann.

Pfalzwärts

Burg Klopp über Bingen und der Lange Rüdesheimer Hang sind Zeugen der Vereinigung von Nahe und Rhein. Die Drususbrücke, auf altem, römischem Fundament ruhend, verbindet die Steilufer der Nahe, die namhafte Weinlagen Bingens beherbergen. Fruchtbares Flachland breitet sich auf dem Weg nach Süden aus. Wer es mit den Weinen hält, der kehre in Langenlonsheim oder Münster-Sarmsheim zum Frühschoppen ein. Noch schmeckt der Gaumen die Nähe des Rheines. Im Bukett sind auch andere, prickelnd-spritzige Geschmäcker versammelt, die den Riesling oder Sylvaner als halben Verwandten des Moselweines ausweisen. Aber nur zur Hälfte! An jugendlicher Frische, vor allem in ihrer sonnigen Frühreife, die alles Späte vorwegzunehmen scheint, können es die Reben längs der Nahe mit jedem anderen Weinbaugebiet aufnehmen. Was freilich ein abgerundeter Nahewein ist, das kann der Gast erst in Bad Kreuznach erfahren.

In freundlichen Windungen durchströmt die Nahe die berühmte Bäderstadt. Paddel- und Ruderboote haben in ihren Buchten genügend Platz. Mancher Kurgast wird auf der Roseninsel dem sanften Wellenschlag des Flusses lauschen, der in seiner stetigen Bewegung leicht von den eigenen Nöten ablenkt. Im Salinental erstrecken sich lange Gradierwerke, wie mittelalterliche Bastionen, durch die Fluren. Siebenmal muß die Sole durch die Schwarzdornäste der ehemals kurpfälzischen Anlagen tropfen, ehe sie auf den Pfannen des Sudhauses zu Kochsalz bereitet werden kann und zur wertvollen Kreuznacher Mutterlauge, die den Bädern zugesetzt wird.

Viele Stunden kann der Gast mit immer neuen Ausblicken durch die Altstadt streifen. An den alten Häusern der Gerber sind die Wasseradern längst unterirdisch abgeleitet worden. Unter den Fundamenten der schönen Nikolauskirche fließt noch ein breites Rinnsal, das dem Gotteshaus in heißen Sommertagen eine angenehme Kühle spendet. Am Eier- und Salzmarkt ist viel altes Fachwerk zu sehen. Beide Märkte sind durch ein schmales Gäßchen verbunden. Hier in der »Schar« hat der Betrachter Mühe, durch das zahlreiche alte Gebälk den Himmel zu finden. Mehrere alte Adelshöfe haben den Sturm der Zeiten überstanden, voran der Dienheimer Hof mit seinem hübschen Renaissance-Erker.

Von der alten Kauzenburg der Grafen von Sponheim ist nicht viel übriggeblieben. Aber die Burg gewährt einen besonders schönen Ausblick zur Stadt. An ihren Hängen wächst ein Wein, der wie der »Krötenpfuhl«, die »Narrenkappe«, »Brückes« und mancher »Schloßböckelheimer« zu den Spitzen des Nahegaues gehört. Kreuznachs »Klein-Venedig« liegt am Ellerbach. Obwohl kein Winkel ungenutzt bleibt, ist das Häusergewirr in freundlicher, fast südländischer Ungezwungenheit dem Wasser zugewandt. Kreuznachs großer und unruhiger Sohn, der Maler Müller, hat diesen malerischen Platz besonders geliebt, ebenso den unweit gelegenen »Zwickel«, ein Gäßchen von altertümlicher Schönheit. Ein Prunkstück römischer Fliesenkunst befindet sich am anderen Ende der Stadt. Der Mosaikboden aus dem 3. Jahrhundert n. Chr. zeigt – über eine halbe Million Steinchen sind dazu notwendig gewesen – im farbigen Wechsel die Spiele des römischen Amphitheaters.

Letzter Höhepunkt der Altstadt sind die Brückenhäuser über dem Mühlenteich. Auf schmalen Pfeilern flußaufwärts ragend, sind sie und ihr im Wasser wogendes Spiegelbild verträumte Zeugen einer beschaulicheren, mittelalterlichen Welt.

Nach dem Aussterben der Grafen von Sponheim gelangt Kreuznach in den gemeinsamen Besitz des Markgrafen von Baden, der Grafen von Simmern und des Kurfürsten von der Pfalz. Wenig später wird es bis zur Herrschaft Napoleons pfälzische Oberamtsstadt. Im ersten Weltkrieg beherbergt Kreuznach bis zum Hochwasser im Januar 1918 das kaiserliche Hauptquartier. Im letzten Krieg ist eine Generation von Ärzten durch Kreuznachs Kasernen geschleust worden. Mit einem lachenden und einem weinenden Auge haben sie mit den Schönheiten des Nahetals Bekanntschaft geschlossen.

Mit der Entdeckung der radiumhaltigen Quellen legte Hofrat Dr. Prieger den Grundstein zur Bäderstadt. Das schöne Kurhaus konnte erst 1956 in vollem Umfang seiner Bestimmung wieder

zugeführt werden. Kreuznach ist in den letzten zwei Jahrzehnten zu einem führenden Radiumsolbad geworden. Rheumatismus, Frauenleiden, Erkrankungen des Kindesalters und chronische Entzündungen der oberen Luftwege werden hier mit Erfolg behandelt.

Ein Massiv schroffer, fast alpiner Porphyrwände ist nach Norden Bad Münster vorgelagert. Ehe die Nahe hier den Durchbruch nach Kreuznach wagt, sammelt sie sich am Rheingrafenstein zu einem See, heute ein Tummelplatz von Booten und Schwänen. Schon im 15. Jahrhundert wird in Münster Salz gewonnen. Die Rheingrafenquelle ist die wärmste des ganzen Tales. Im letzten Krieg nahezu völlig zerstört, hat die Bäderstadt im letzten Jahrzehnt einen gewaltigen Aufschwung genommen. Die Heilkräfte ihrer Quellen entsprechen jenen von Kreuznach.

Über Jahrhunderte ist der Adel auf Burg Rheingrafenstein Besitzer des Städtchens gewesen. Treu haben die Rheingrafen den Sponheimern während ihrer Fehde mit dem Mainzer Erzstift zur Seite gestanden. Mit knapper Not entgeht Johann von Sponheim durch die mutige Tat des Kreuznacher Metzgers Michel Mort in der Schlacht von Sprendlingen den Bischöflichen. Rheingraf Siegfried dagegen gerät in harte fürstliche Haft und verliert einen Teil seines Besitzes. Mut und Standhaftigkeit zeichnen den mittelalterlichen Ritter aus. Über den Lohn der Treue dagegen entscheidet die Gunst des Schicksals. – 1689 wird die Burg auf dem Felsenkegel von den Franzosen zerstört.

Zwischen den Tälern der Nahe und Alsenz erhebt sich die Ebernburg, Stammsitz der Sickinger und Huttens berühmte »Herberge der Gerechtigkeit«. In den Jahren seines Ruhmes hat hier Franz von Sickingen die Boten des Adels und des deutschen Kaisers, aber auch die Sendlinge Luthers und des französischen Königs empfangen. Auf der Ebernburg finden neben Hutten auch Kaspar

Aquila, Johann Schweblin, Martin Butzer und andere Verfechter der Reformation Zuflucht. Nach dem jähen Ende des Ritters heißt es für sie, rechtzeitig zu fliehen. Die Kurfürsten von der Pfalz und von Trier wie der Landgraf von Hessen versäumen nicht, das ritterliche Wespennest gründlich zu zerstören.

In das Alsenztal schieben sich immer wieder schroffe Tafelberge und zwingen Fluß und Straße zu scharfen Kehren. Auf einer Bergnase riegelt die Feste Altenbaumburg das Tal nach zwei Seiten ab. Eine mächtige Schildmauer schützt sie lange vor Angriffen von Osten. Bis zum Ende des 15. Jahrhunderts sind die Raugrafen Herren der Burg gewesen. Nach der Sage hat einer der Grafen, aus dem Kreuzzug heimkehrend, seine unschuldige Gemahlin und ihren Edelknappen in blinder Eifersucht erschlagen. Sein Geist soll lange Zeit nächtlich im Schloßhof erschienen sein, wo seit dem Frevel zwei weiße Lilien ständig blühten. Längst ist sein Geschlecht erloschen und die Burg der Zerstörung anheimgefallen. Aber die alten Leute unten im Tal erzählen seine Geschichte mit einer Anteilnahme, als hätten sie oder ihre nächsten Vorfahren den Vorgang mit eigenen Augen erlebt.

Auf mächtigen Rundbögen ruht das alte Rathaus des Weinortes Alsenz. Der Alsenzer »Elkersberg« und »Sonnenberg« wie auch der Traminer haben schon Pfälzer Sonne und Würze aufgesogen. Schöne Waldwege führen von hier zum Donnersberg, der höchsten Erhebung der Pfalz. Kirchheim-Bolanden inmitten der fruchtbaren Nordpfalz ist nicht allzu fern und ein Besuch des wehrhaften Städtchens lohnend. Sehenswert ist auch das Herrenhaus (im Empirestil) der bekannten Familie v. Gienanth in Eisenberg.

Von weitem kündigt der Bergfried der Feste Landsberg das Städtchen Obermoschel an. In der Nähe der Burg befindet sich ein alter Quecksilberstollen, den Goethe in seinen Reisenotizen eigens

erwähnt. Bis zum letzten Jahrhundert ist das Bergwerk in Betrieb gewesen. Gewaltige Trümmermassen sind letzte Zeugen einer der größten Festungen des Landes. Nach den Herren v. Schmiedberg in Veldenzer Besitz, gelangt die Feste durch Einheirat in die Hand der pfälzischen Wittelsbacher. Heute bleibt es der Phantasie des einzelnen überlassen, den Umfang der großartigen Anlage und der fürstlichen Hofhaltung zu erahnen. 1689 ist dieser Stolz der Herzöge von Zweibrücken von den Franzosen geschleift und dem Verfall überantwortet worden.

Weinberge ziehen an den Südhängen bis nach Meisenheim. Die Straße führt nahe an eine der ältesten christlichen Kulturstätten des Landes heran. Die Anfänge des Klosters Disibodenberg reichen wie bei Kloster Hornbach nahe Zweibrücken in die ersten Jahre des 8. Jahrhunderts zurück. Erst ein Menschenalter später ist die bekannte Benediktiner-Abtei Lorsch bei Bensheim gegründet worden!

Meisenheim empfängt den Gast mit einem malerischen Unterturm am Glan. In den Straßen und Gäßchen gibt es reichlich Gelegenheit, alte Adels- und Bürgerhäuser mit lebhaftem Fachwerk zu bewundern. Mit seinen hohen Spitzbögen und dem hübschen Renaissance-Erker ist das Rathaus ein Prunkstück des Städtchens. Im Westen begrenzt die alte Stadtmauer mit ihren Scharten und Wehren die Hinterhöfe der Häuser.

Von dem Schloß der Herzöge von Zweibrücken ist der Magdalenen-Bau mit einem schönen Treppenturm erhalten. Hier hat 1689 Pfalzgräfin Charlotte Friederike durch ihre Fürsprache bei den Franzosen die Stadt vor der Zerstörung bewahrt – wie 50 Jahre zuvor Herzogin Luise Juliane bei den Kaiserlichen.

Größtes Gotteshaus am Glan ist die Schloßkirche von Meisenheim. Ein überdachter Steg verbindet die alte Johanniter-Komturei mit dem Kirchhof. Der Grundriß und die Verteilung der Massen verraten den Einfluß der Nürnberger Bauhütte. Schönster Teil des Innenraumes ist das Doppelgewölbe der Grabkapelle. Mit spielerischer Leichtigkeit, wie es nur das ausgehende gotische Zeitalter vermag, werden die Fäden der Doppelnetze miteinander verflochten. Das untere Netz – mit welcher Sicherheit ist der Baumeister vorgegangen! – ist freischwebend gehalten. Wer in der verschwenderischen Linienführung der Spätgotik musikalische Elemente aufspüren will, der braucht nur in der Grabkapelle von Meisenheim den Blick nach oben richten . . .

Über Lauterecken, einst Sitz der Nebenlinie der Herzöge von Zweibrücken, führt der Weg nach Offenbach am Glan. Die Benediktinerkirche des Ortes gehört zu den wichtigsten Baudenkmälern des Übergangsstils. Noch ist die Macht des Romanischen nicht gebrochen. Die Horizontale hat weiterhin Gewicht. Die prächtigen Ziersäulen am Chor – in einer Abbildung dieses Buches vorzüglich festgehalten – und die Blenden der Vierung sind noch ganz im Geist des Spätromanischen ausgeführt. Aber oben über dem Kapitell fängt eine neue Zeit an. Die Bögen suchen die Höhe und schließen spitz.

Wahrscheinlich hat das zu Reims gehörende Remigiuskloster bei Kusel den Baumeister aus der Champagne vermittelt. Behutsam sucht dieser den alten und neuen Baugedanken in Zusammenklang zu bringen. Er begnügt sich mit einem achteckigen Vierungsturm. Im Gewölbe aber spannt und dehnt er Pfeiler und Rippen, wie er es von Frankreich her gewohnt ist. Seine Fenster gewinnen gleichfalls an Höhe und Schlankheit.

Als Vorsteher eines alten Mönchsordens wird der Abt und Bauherr auch auf dem Überkommenen bestanden haben. So sind in Offenbach zwei verschiedene Zeitalter zusammengekommen und haben sich in ihrem Neben- und Ineinander nicht gestört. Am Ende mag der Mönch mehr den Chor, der Baumeister dagegen verstohlen sein Gewölbe und die Fenster betrachtet haben. Zufrieden wird jeder auf seine Weise gewesen sein.

Kusel, wichtiges Zentrum im Westrich, liegt nach einer scharfen Kehre des Glans wie in einem Talkessel. Im frühen Mittelalter bestimmen das Remigiuskloster und mit ihm Reims über den Ort.

Nur langsam gewinnen die Veldenzer Grafen als Klostervögte an Einfluß. Schließlich setzen sie mit der Burg Lichtenberg dem Kloster einen mächtigen Riegel vor die Nase. Wohl erhält der klagende Abt beim Kaiser Recht. Aber mehr als Worte sind von ihm bei der Ohnmacht des Römischen Reiches Deutscher Nation nicht zu erhalten.

Die Grafen und die nachfolgenden Herzöge von Zweibrücken bauen Lichtenberg zur größten Festung der Pfalz aus. Hinter Gesträuch erwartet der Eingangsturm mit seinen Pechnasen den Gegner. Aus den tiefen Trichtern des Hufeisenturms konnten Geschütze jederzeit nach allen Richtungen feuern. Ein malerischer Teil der großen Festung ist der zweite Eingangsturm mit der Landschreiberei. Der Ausblick ist in einer schönen Abbildung dieses Bandes zu sehen.

Von der unteren und älteren Burganlage steht nur noch das Mauergerippe. Die Kapelle ist erst im 18. Jahrhundert hinzugekommen. Bis zur Talsohle haben die Schächte der Zisternen gereicht. Lichtenberg, ein Lieblingssitz der Herzöge von Zweibrücken, ist nicht durch Feindeshand zerstört worden. Eine Feuersbrunst, von der Zehntscheuer ausgehend, hat der großen Burg den Garaus gemacht. Alles Weitere haben die Anrainer besorgt. Für sie ist die Festung ein beliebter und vor allem billiger Steinbruch gewesen. Dennoch ist das Verbliebene Zeugnis genug für den hohen Stand mittelalterlicher Befestigungskunst in der Pfalz.

Im Zweibrücker Land

Der Weg führt uns zum äußersten Zipfel des Westrichs. Im alten Königsland der Merowinger haben die Grafen von Saarbrücken mit einer Zollstätte den Grundstein zu Zweibrücken gelegt. Manchen Wandel hat die Stadt bis zur Gegenwart durchgemacht! Als Vögte von Kloster Hornbach sind die Grafen, wie die Leininger und Veldenzer, darauf bedacht, von den weltlichen Gütern des Klosters Stück um Stück unter ihre Kontrolle zu bringen. 1353 erhält Zweibrücken gemeinsam mit Hornbach Stadtrecht. Aber mit der Herrschaft der Grafen ist es bald zu Ende. Wenig später verkaufen sie Zweibrücken an den Kurfüsten von der Pfalz.

Nach einer Erbteilung entsteht die selbständige Seitenlinie der Herzöge von Zweibrücken. Die Herzöge nehmen im Reichstag bald den führenden Platz nach den Kurfürsten ein. Später stellen sie über ihren Birkenfelder Familienzweig das Stammhaus aller Wittelsbacher. Der aus dem Huttenkreis stammende Prediger Johannes Schweblin, dem wir auf der Ebernburg bereits begegnet sind, führt mit Hilfe Herzog Ludwig II. den protestantischen Glauben ein. Kloster Hornbach setzt sich heftig zur Wehr. Aber das öffentliche Streitgespräch seines Magisters Kaltenhäuser bringt keine Wende mehr. Das Herzogtum ist im 30jährigen Krieg enger Verbündeter Frankreichs. Reinhold von Rosen, erfolgreicher Verteidiger der Stadt gegen die Kaiserlichen, stirbt als französischer Marschall.

Drei Schwedenkönige sind aus dem Zweibrücker Haus hervorgegangen. Unter Karl XII. ist das Herzogtum sogar schwedische Provinz. Aber Graf Oxenstierna verwaltet das Land umsichtiger als mancher angestammte Fürst. Elemente der schwedischen Renaissance gelangen über Baumeister Sundahl in den Zweibrücker Barock und geben diesem ein eigenes Gepräge. Abenteuerliche Gestalten, wie Stanislaus Leszczinski, einst polnischer König von Karl XII. Gnaden, verweilen in der Stadt. Leszczinski muß bald ins Elsaß weiterfliehen. Von seinem Lustschloß Tschifflik hat er nur die Anfänge gesehen. Als Günstling des Sonnenkönigs bringt er es später noch zum Herzog von Lothringen. Fürwahr ein erstaunlicher Weg eines wendigen barocken Potentaten!

Zweibrücken ist eine Stadt des Barocks, das Salzburg der Pfalz gewesen. Residenz und Stadtkern, wie die Bauten der Herzogsvorstadt und manches Schlößchen der Umgebung, so auch Schloß Guttenbrunnen, waren vom Geist dieses Zeitalters geformt. In der Residenz sind Gemälde, Teppiche und Fayencen vom gleichen barocken Ursprung hinzugekommen.

Mit Schloß Karlsberg wurde das kühnste Bauvorhaben der pfälzischen Wittelsbacher verwirklicht. Über tausend Meter haben sich seine Fronten nach Westen ausgedehnt. Aus Hunderten von Fenstern schimmerten abends Lichter. Fremdländische Pflanzen und Tiere waren im Park Karlslust zu sehen. Knigge, der sich noch ungehindert den Anlagen nähern konnte, nennt die Karlsburg erstaunt ein Feenschloß.

Aber durch die Räume – so sehr sie dafür wie geschaffen sind – ist kein Gelächter heiterer Gesellschaften gedrungen. In seinen Festsälen haben keine Hofleute Konzerten gelauscht oder sich im galanten Menuett gedreht. Wie sein Nachfahr Ludwig II. von Bayern schließt sich Herzog Karl August von der Welt ab. Er will mit dem Wunschtraum seiner Residenz allein sein. Jeden Versuch, sich dem Schloß zu nähern, betrachtet er als eine ernste und zu strafende Störung.

So haben nur wenig Gäste – wie Kaiser Joseph II. – Gelegenheit, die Anlagen zu bewundern. 1794 muß der Herzog vor den eindringenden Franzosen sein Schloß verlassen. Rascher, als es entstanden, sinkt das Wundergebilde einer Residenz durch des Siegers Hand in sich zusammen. Der Wanderer hat heute Mühe, seine Reste östlich von Homburg zu finden.

In den Abendstunden des 14. März 1945 ist das barocke Zweibrücken in Schutt und Asche gesunken. Von dem schönen Stadtkern ist nur wenig stehengeblieben. Große Anstrengungen sind unternommen worden, das Erhaltene im Sinne des Ursprünglichen zu ergänzen. Die Alexanderkirche reckt sich wieder über die Dächer der Stadt. Das berühmte spätgotische Netzgewölbe ist leider den Luftangriffen zum Opfer gefallen. Reizvoll der Treppenturm am Eingang! Der Aufgang zur Fürstenloge und das Maßwerk der Galerie zeigen den hohen Stand der Zweibrücker Filigranarbeit. Zahlreiche Grabtafeln der Herzöge erinnern daran, daß die Alexanderkirche Hof- und Grabkirche zugleich gewesen ist.

Am Schloßplatz steht im Westen noch das Archivgebäude. Von der barocken Residenz ist nur noch ein rauchgeschwärzter Torso zu sehen. Am wenigsten haben die Rokoko-Häuser der Herzogvorstadt gelitten.

Ein neues, modernes Zweibrücken ist indessen entstanden, das sich in seiner klaren Planung der großen Vergangenheit würdig erweist. Auch der berühmte Rosengarten hat an Umfang gewonnen. In seinen gepflegten Anlagen sind so gut wie alle Rosensorten des Erdballs versammelt: Zur Zeit der Blüte ein wahrer Paradiesgarten, nicht nur für den Blumenfreund!

Zu den ältesten christlichen Siedlungen des Landes gehört Kloster Hornbach an der Straße nach Bitsch. Der Gründer der Reichenau, St. Pirminius, hat hier zu Anfang des 8. Jahrhunderts sein zehntes und letztes Kloster errichtet. Erst vor wenigen Jahren wurde sein Grab entdeckt und über dem ehrwürdigen Gemäuer eine Kapelle erstellt. Im letzten Krieg sind der Kreuzgang – über

Jahrhunderte in Bauernhäusern verborgen – und das alte Fabianstift gefunden und freigelegt worden. An der Straße steht zwischen den Dächern noch der romanische Südturm des Klosters.

Für einige Jahrhunderte hat also das ehrwürdige Fabianstift die Gestalt eines Bauernhauses annehmen müssen. Eine der ältesten Krypten des Landes ist dabei zum Kartoffelkeller geworden. Den steinernen Mönch am Ende des Rundbogens, der das Gewölbe der Krypta zu tragen hat, haben die Erdanfüllungen der Jahrhunderte vor der völligen Zerstörung bewahrt. Die Grab- und Abschlußsteine der Krypta dagegen sind dem Kartoffelkarren des Bauern zum Opfer gefallen. Man sieht nur noch, wie sie eingefügt waren. Die Küche des Landwirts liegt in der Seitenkapelle des Querschiffs. Hier begegnen sich die Zeiten! Durch den fehlenden Putz sichtbar geworden, ziehen die alten Rundbögen nach den neuen Fenstern. Es bedarf keiner großen Phantasie, sich ihren einstigen Schluß vorzustellen. Der Südteil des Stifts ist jüngeren Datums und weist die Stilelemente des 11. und 12. Jahrhunderts auf.

Die romanischen Baumeister haben verstanden, mit ihren Mauern umzugehen! Ihre Wände sind genau gefugt und ihr Mörtel von erstaunlicher Härte. Das Mauerwerk des Bauern dagegen zeigt Sprünge und muß gestützt werden. Hier erweist es sich, daß das Haus des Landwirts nur für Generationen, das Fabianstift dagegen für Mönche gebaut worden ist, die sich für die Ewigkeit eingerichtet haben.

Im Stiftshof befinden sich die alten Mönchsgräber. An den steinernen Särgen blieb das Bett des Kopfes ausgespart, wie eine Abbildung dieses Buches zeigt. Die Grabplatten darüber sind fest zugemauert worden. Als die Särge vor wenigen Jahren geöffnet wurden, lagen die Gebeine der Mönche unberührt von den Zeiten in jener Lage, wie sie einst ins Grab gebettet worden sind.

Um Pirmasens und Kaiserslautern

Pirmasens gehört – wie schon der Name verrät – zu den ältesten Gründungen des von St. Pirmin errichteten Klosters Hornbach. Der Ort wäre wohl für immer ein kleiner Flecken geblieben, wenn Landgraf Ludwig und seine Grenadiere nicht gewesen wären. Das stille Dorf wird zu einem großen Exerzierplatz und wächst rasch zu einem Städtchen heran. »Klein-Preußen« in der Pfalz ist Gott sei Dank nie zu kriegerischen Entscheidungen gezwungen worden. Der hessische »Staatssäckel« hat den »langen Kerls« nur einen schmalen Sold zugestanden. Früh haben sich deshalb die Soldatenfrauen nach einem Nebenverdienst umsehen müssen. Aus abgetragenen Koppeln und anderem gräflichen Gut beginnen sie Hausschuhe, in der Pfalz »Schlappen« genannt, zu fertigen, die sich auf den benachbarten Märkten rasch großer Beliebtheit erfreuen. Nach dem Tode des Landgrafen bewahrt dieser neue Erwerb viele Familien vor der ärgsten Not und wird zur Keimzelle der Pirmasenser Schuhindustrie. Ein Teil der Soldaten ist auch zur Schaustellerei abgewandert. In den Ständen der Pfälzer »Kerwe« sind ihre Nachfahren heute noch zu finden.

Wie die meisten Pfälzer Städte hat Pirmasens manchen Niedergang erleben müssen. Der zähe Lebenswille seiner Einwohner ließ aber Stadt und Schuhfertigung immer wieder von neuem erstehen. Die Nachkommen der Grenadiere sind dabei das unerschöpfliche Reservoir der sich ständig ausdehnenden Schuhindustrie gewesen. Im Ersten, vor allem aber im Zweiten Weltkrieg aufs schwerste getroffen, hat Pirmasens dennoch seine führende Rolle in der Schuhindustrie behaupten können. Seine Schuhmaschinenmessen haben weltweite Bedeutung.

Von Wäldern eingesäumt ist der Gelterswoog, Kaiserslauterns Tummelplatz für Badelustige, das größte und wohl auch schönste Strandbad der Pfalz. Aus beherrschender Höhe grüßt unweit Burg Hohenecken, einst süd-westliche Bastion zum Schutz der Kaiserpfalz Barbarossas. Diese bedeutende Feste der Mittelpfalz ist schon im 12. Jahrhundert im Besitz derer von Lautern, die mit Eberhard einen Statthalter von Italien und mit Heinrich von Lautern einen Hofmarschall der staufischen Kaiser stellen. Hinter ihren zerbrochenen Mauern liegt Vogelweh, eine Insel der Neuzeit und größte amerikanische Siedlung des Kontinents. »Klein-Amerika« will im Waldgürtel von Kaiserslautern kein Ende nehmen. Bündelweise münden seine Straßen ein. Durch das Geäst schimmern zahllose Wohnbauten, Lager und Kasernen. Erst nach mancherlei Stockung erreicht der Gast den Stadtkern.

Kaiserslautern liegt im Schnittpunkt der alten Königsstraße von Worms nach Saarbrücken und des nur wenig jüngeren Verbindungsweges von Mainz nach Pirmasens. Die West-Ost-Achse hat bis zum heutigen Tage nichts von ihrer Bedeutung eingebüßt.

Vom fränkischen Königshof Lutra, wie von der staufischen Kaiserpfalz ist nur wenig übriggeblieben. Ihre Reste sind mit den noch erhaltenen Fundamenten des Renaissance-Schlosses vom Pfalzgrafen Casimir in das berühmte Burgmuseum eingebettet worden. Nur die Stiftskirche, die Kaiser Barbarossa für die Prämonstratenser errichtet hat, erhebt sich wie eh und je über die Dächer der Stadt. In ihrer Prachtentfaltung und großzügigen Linienführung zählt sie zu den wichtigsten pfälzischen Vorbildern einer gotischen Hallenkirche.

Lange waren die Hänge des Pfälzer Waldes um Kaiserslautern Schauplatz der alten Sage vom schlafenden Kaiser im hohlen Berge. Der Wunschtraum einer Rückkehr gilt dem letzten großen Kaiser staufischen Geschlechts, Friedrich II., der die deutschen Fürsten und den eigenen aufrührerischen Sohn ohne ein Heer zur Huldigung gezwungen hat. Deutscher Adel, arabische Gelehrte und maurische Kriegsmannen sind in Sizilien um ihn versammelt. Wie eine reife Frucht fällt ihm ohne Schlachtenlärm das Heilige Land mit Jerusalem zu. Das ganze Abendland blickt auf ihn, als er im Zelt des Sultans von Ägypten den wichtigen Vertrag unterschreibt. In den Wirren der königlosen Zeit wird Friedrich II. zur Gestalt eines deutschen Kaisers schlechthin. Jahrhunderte vergehen, ehe in der Sage an seine Stelle langsam das Bild des bodenständigeren Großvaters Friedrich Barbarossa tritt. Noch im 16. Jahrhundert will man im »Kaiserswoog« einen riesigen Karpfen mit einem goldenen Ring im Maul und einem Kettchen mit griechischen Lettern gefangen haben, der von Kaiser Friedrich ausgesetzt worden ist.

Von Rudolf von Habsburg 1276 zur freien Reichsstadt erklärt, gerät Kaiserslautern 100 Jahre später in die Hand der Kurfürsten von der Pfalz. Schwere Heimsuchungen erfährt die Stadt im 30jährigen Krieg. Den furchtbaren »Kroatensturm« überlebt nur ein knappes Zehntel seiner Bewohner. Die Preußen können nach der erfolgreichen Schlacht um Kaiserslautern (1793) die Franzosen vorübergehend aus dem Land vertreiben. Im Mittelpunkt des Ringens stand die Galgenschanze, heute Hauptsitz der weltberühmten Firma Pfaff.

Kaiserslautern ist eine Stadt des Waldes. Rings um seine Mauern, für jeden rasch erreichbar, ziehen die Hänge des Pfälzer Waldes. Seit einem halben Jahrtausend rüsten sich Magistrat und Bürgerschaft alle zehn Jahre zum Waldumgang. Früher sind die Knaben über den »Jungfernstein« gelegt und mit »Pritschen gestrichen« worden. Der heranwachsenden Jugend sollte auf diese handgreifliche Weise die Stadtgrenze in dem so wertvollen Wald zeitlebens im Gedächtnis bleiben.

An der alten Kaiserstraße nach Saarbrücken liegt auch Landstuhl, wie Kaiserslautern früher Sitz eines fränkischen Königshofes. Auf Burg Nanstein erlag Franz v. Sickingen, von den Heeren Triers, Hessens und der Pfalz eingeschlossen, 1523 einer feindlichen Kugel. Seine Söhne errichteten ihm später ein ehrenvolles Grabmal und erweiterten die Burg zu einem Renaissance-Schloß. Der Grabstein mit einem eindrucksvollen Reliefbild des Ritters ist in der katholischen Pfarrkirche zu sehen. Das Schloß ist dem Jahr des Unheils 1689 zum Opfer gefallen. Landstuhl selbst, dessen Stadtmauern früher mit Nanstein verbunden waren, ist in die ehemals gefürchtete Moorlandschaft hinausgewachsen.

Wenige Kilometer östlich von Kaiserslautern liegt die bekannte Klosterkirche von Enkenbach. Unschwer sind die verschiedenen Zeitalter zu erkennen, die an dem Bau gewirkt haben. So ist das jüngere südliche Seitenschiff auffallend niedrig geraten, als habe dem Kloster das Salär für den Baumeister am Ende nicht mehr ausgereicht. Wichtigster und berühmtester Teil der Kirche ist das Hauptportal. In reichster, spätromanischer Ornamentik findet hier der »Weinberg der Kirche« seine Darstellung. Mit großer Liebe haben die pfälzischen Metzen das Reblaub mit allerlei Getier aus dem Stein gehauen. Zu beiden Seiten – noch ist das frühe Mittelalter nicht verlassen – liegen auf dem Kämpfer wachende Drachen.

Im nahen Otterberg haben die Zisterzienser, ihren Vorsätzen getreu, das Gotteshaus in der Talsohle errichtet. Um die große, in gelbem Sandstein gehaltene Kirche muß eine Vielzahl von Klostergehöften gestanden haben. Mit sparsamem Schmuck sind die romanisch-frühgotischen Wände ganz im Geist zisterziensischer Klarheit durchgebildet. Nur am Eingang und an der großen Rosette der Westfront haben sich die Mönche zu mehr fließenden und einladenden Formen entschlossen. Wie sehr die Reinheit der Linien auch in den Stufungen der 16 Säulen am Hauptportal gewahrt wird, ist in einer schönen Abbildung dieses Bandes zu erkennen.

In Otterberg greifen romanische und frühgotische Elemente ineinander. Die relativ kurze Bauzeit – nur 3 Generationen von Steinmetzen sind hier am Werk gewesen – hat der Kirche zu jenem unvergleichlichen Zug des Einheitlichen verholfen. Kein Bau weit und breit kann sich an Reife und Schönheit wie in der Klarheit seiner Fronten mit dieser alten Klosterkirche messen.

Pfälzer Wald und Wasgau

Der Pfälzer Wald, Deutschlands größter Naturschutzpark, gehört zu den wenigen Oasen der Ruhe und Abgeschiedenheit, die uns geblieben sind. Von der Unrast unseres Alltags ist hier nichts zu bemerken. Eine ungewohnte Stille herrscht in den Tälern und auf den Triften. Hie und da stößt man auf ein Holzfuhrwerk. Lediglich die größeren Verkehrswege erinnern an das Zeitalter des Motors. Tagelang kann der Gast auf den Waldpfaden durch das Gebirge wandern, ohne einem Menschen zu begegnen. Auch für längere Wanderungen sind die Wege durch den Pfälzerwaldverein in vielen Richtungen markiert worden.

Welch Wechsel der Ausblicke! Wie Feuer flammen die Sandsteinböden durch das Geäst. Im Frühjahr mischt sich gelber Ginster zwischen das junge Grün der Buchen. Im Spätjahr säumt bläulich schimmerndes Heidekraut die Wege des in herbstliche Farben verwandelten Waldes. Die Kiefern erinnern in ihren ausladenden Wipfeln an südliche Pinien. Uralte Laubbäume stehen um »Johanniskreuz«, die Wasserscheide zwischen Rhein und Mosel. Von den Kuppen grüßen die Ruinen zahlreicher alter Reichsburgen.

Von besonderer Schönheit ist das Karlstal, vor allem seine klammähnliche Enge im oberen Lauf. Hier lohnt sich ein Spaziergang längs den stürzenden Wassern der Moosalb. Ein Abstecher auf dem Sträßlein nach Schmalenberg ist anzuraten: Sanfte Hügel, Wiesen mit stehendem Gewässer und der freundliche Wechsel der Waldbuchten vermitteln den Eindruck eines Panoramas der Stille. Schön ist auch die Abfahrt von Johanniskreuz nach Annweiler oder Merzalben. Und dann die Höhenstraße zur Kalmit! In lebhaften Serpentinen windet sich der Weg nach oben. Schöne Ausblicke zur Ebene und in die Seitentäler sind immer wieder Anlaß zum Anhalten. Der zweithöchste Berg der Pfalz gewährt eine großartige Ausschau nach allen Richtungen. Wie von einer Paßstraße geht es dann zwischen schroffen Steilhängen und wilden Kehren nach Elmstein hinab. Über dem Fahrweg schließt sich das Laub wie zu einem niedrigen, luftigen Gewölbe. Elmstein wie Trippstadt und mancher andere Ort der Gegend sind beliebte Ferienziele für Ruhesuchende.

Im Modenbachtal sieht es dagegen wie in den Voralpen aus. Auf den von hohen Tannen umsäumten Wiesen herrscht lebhafter Viehauftrieb. Oben am Steigerkopf versäume keiner die kurze Fußwanderung zum »Schänzel«, einem Aussichtsturm, der zu Ehren der im Jahre 1794 Gefallenen errichtet worden ist. Von hier bietet sich ein Rundblick über den ganzen Pfälzer Wald. Nach Norden ziehen lange Bergrücken zum Donnersberg. Nachbarlich grüßt die höhere Kalmit. Im Süden schiebt sich die unruhige Gebirgsgruppe des Wasgaues mit dem Trifels vor die Vogesen. Auf der Privatstraße vom Forsthaus Heldenstein nach Taubensuhl ist der Gast lange Zeit nur von Wald umgeben, der in seinem Reichtum an Formen und in seiner Stille an den Urzustand erinnert.

Die Fußwanderung nach Taubensuhl – immer der roten Markierung nach! – ist freilich noch schöner.

Landschaftlich reizvollster Teil des Pfälzer Waldes ist der Wasgau. In lebhaftem Wechsel folgen Tafel- und Kegelberge neben- und hintereinander und werden wiederum hie und da von sanfteren Bergrücken unterbrochen. Kein Ausblick gleicht dem anderen! Nicht ohne Grund wird der Wasgau auch »Pfälzer Schweiz« genannt! Verwerfungen des Sandsteins haben hier zu bizarr geformten Felsblöcken geführt, die wie rote Pilze in unregelmäßiger Folge an den Hängen sichtbar werden. Um den Luftkurort Dahn sind sie so zahlreich, daß man auch vom Dahner Felsenland spricht. Jedem Felsen hat der Volksmund einen Namen gegeben, so: »Teufelstisch« bei Hinterweidenthal (in diesem Band abgebildet), »Jungfernsprung«, »Braut und Bräutigam« bei Dahn und viele andere mehr.

Einen der schönsten Ausblicke in den Wasgau hat man von den Ruinen des Schlosses Lindelbrunn. Ein Sträßlein zieht bis nahe an die Bergkuppe heran. Im Norden erhebt sich die Trifelsgruppe mit dem Asselstein, einem beliebten Ziel alpiner Übungen. Spitz ragt im Nordosten der Hundsfelsen gen Himmel, der nur über einen gefährlichen Kamin zu ersteigen ist. Malerischer Vordergrund im Süden sind der Rödel- und Puhlstein. In weiten Teilen ist das Dahner Felsenland zu überschauen.

Im Wasgau sind die Felsenburgen vorherrschend. In Stein gehauene Gänge und Kasematten verbinden die Außenanlagen miteinander. Bekannte Felsenburgen sind Burg Altdahn und Drachenfels, die Wegelnburg und vor allem Burg Berwartstein. Bei ihr diente ein steiler, röhrenförmiger Felskamin als Aufgang, der sich für den Angreifer als unbezwingbar erwiesen hat. Berwartstein gehört zu den wenigen wiedererrichteten Burgen der Pfalz. Erstaunlich ist das noch erhaltene unterirdische Gangsystem im Felsen. Der Brunnen reicht bei einem Durchmesser von über 2 Meter über 100 Meter tief bis zur Talsohle. Eine gefährliche Berühmtheit erlangte die Burg unter dem Raubritter Hans von Drodt, genannt Trapp. »Sei brav, sonst holt dich der Hans Trapp« heißt es heute noch im Wasgau, wenn die Kinder unartig sind.

Königliche Burg des Wasgaues aber ist der Trifels! Auf den benachbarten Bergkegeln liegen die Festen Anebos und Scharfenberg, die zur Trifelsgruppe gehören. Daß der Trifels eine wichtige staufische Reichsfeste gewesen ist, ersieht man an der Mächtigkeit des alten Kapellenturmes. In Notzeiten hatte die Burg den wertvollen Reichsschatz aufzunehmen. Hinter ihren Mauern saß einstmals Richard Löwenherz gefangen. Der Palas mit dem Kaisersaal wurde nach alten Vorbildern neu errichtet und vermittelt in seinem Innern einen lebendigen Eindruck staufischer, aufgelockerter Geräumigkeit.

Zu seinen Füßen liegt das schmucke Städtchen Annweiler. Viel Fachwerk säumt den hübschen Marktplatz. Besonders reizvoll ist auch ein Gang längs der Queich, der bei einem alten Mühlenrad endet. Annweiler verdankt die Stadtrechte seinem Förderer, dem letzten großen Staufenkaiser Friedrich II.

An der Deutschen Weinstraße

Ein Meer von Rebstöcken mit großen Weinnamen schließt die Ortschaften längs der Haardt ein. Die Sorgen der Winzer sind nach der ersten Frühlingssonne ganz auf das Wachstum der Reben gerichtet. Droht ihnen während der Eisheiligen Gefahr, dann glühen die Öfen in den Weinbergen zwischen Neustadt und Kallstadt und an manchem Ort der

Oberhaardt. In den großen Weinlagen, wie etwa dem Deidesheimer Kieselberg, Forster Ungeheuer oder dem Kallstadter Saumagen ist das Feuer so dicht, daß der nächtliche Wanderer dort, ohne zu frieren, seine Zeitung lesen kann. Selbst die berühmte Straße hat sich nach den Weinlagen zu richten. In vielen Kehren, oft bis an den Rand des Rebsaumes führend, schlängelt sie sich langsam nach Norden. Erfahrungen von Jahrhunderten haben den Reben ihren Platz zugewiesen. So wird in Impflingen seit einem Jahrtausend weitab von der Weinstraße erfolgreich Weinbau betrieben, wie dies die Impflinger »Heide« beweist.

Von den Bergen und Burgen der Haardt sind die Grenzen des Rebgürtels zu übersehen. Unschwer bemerkt man von der Maden- oder Maxburg die Zunahme des Rebsaumes und der Ortschaften in der Mittelhaardt. Vom Pfälzer Wein reden, heißt, als Schmecker in den oberen Regionen des Genusses schwelgen! Der »Pfälzer« trinkt sich nicht so leicht wie der Aristokrat vom Rheingau, er zieht aber nicht nach unten wie die erdig blumigen badischen Kreszenzen. Im Gegensatz zum Moselwein hat er die Jugend – nicht aber das Jugendliche – abgestreift und ist über das Liebliche der rheinhessischen Lagen hinausgewachsen. Er ist männlicher als seine Brüder im Norden, ausgeglichener und wärmer als seine südlichen Nachbarn.

Der Pfälzer Wein führt zu jener Fröhlichkeit der Sinne, die den Ängstlichen mutig, den Lauen stürmisch und den stillen Zecher zum Schwärmer macht. Er schöpft aus dem Vollen und scheut mit manchem Forster Gewächs auch die Schwere nicht, die dem Kenner ein männliches Bestehen abverlangt. In rechten Mengen genossen, gewährt er eine Verzauberung und Trunkenheit der Seele, ohne dem Leiblichen Schaden anzufügen. Kein anderer Wein verfügt über eine so große Breite des Geschmacks. Der Pfälzer Wein ist gediegen, sonnig und von einer Eleganz, die sich allen Regungen mitteilt. Er ist von einer männlichen Saftigkeit, ohne je nur süffig zu sein. Auch ohne eine große Anzahl von Prädikaten versteht er zu überzeugen.

Die Lagen der Oberhaardt sind die rechte Vorbereitung für die großen Namen zwischen Neustadt und Bad Dürkheim. Beachtliche Spitzen sind in Schweigen, Edenkoben, Maikammer oder in St. Martin zu finden. Wer auf dem Leinsweiler Hof Brotzeit hält, der wird beim vergnüglichen Schmausen gern zu einem Siebeldinger, Frankweiler oder Rhodter Gewächs greifen. Hat der Gast in der Winzergenossenschaft Dalberg in St. Martin das berühmte Omelett mit Pilzen verspeist, dann wird er mit Behagen eine Spätlese des Dalberger Rieslings nachschwenken. Die Schoppenweine der Oberhaardt lassen manche Spitzen anderer Gaue hinter sich, wenn sie auch in der Stufenleiter der Pfalzweine nicht den obersten Platz einnehmen können.

Höhenlandschaft der Pfälzer Weine ist die Mittelhaardt von Neustadt bis nach Bad Dürkheim. Erste Verheißung sind Neustadter, Gimmeldinger und Mußbacher Lagen. Dann der Deidesheimer! Kein anderer deutscher Wein kann neben ihm bestehen, wenn genug Sonne auf den Jahrgang geschienen hat. Die geschmeidige Eleganz eines Kieselbergs, Hofstücks oder einer Leinhöhle – um nur einige Namen zu nennen – ihre prickelnde Frische und die Lust zum frohen Lachen, die sich nach jedem Schlurf anmelden will, vermag kein anderer Wein hervorzuzaubern. Der Deidesheimer ist ein großer Verführer und Verwandler, aber er ist auch die aristokratische Spitze der Pfalz. Wer einmal einen Sonnenjahrgang genossen hat, der wird seine Schritte oft nach dem bekannten Weinort lenken.

Mancher Weinfreund ist im Spätherbst bewundernd wegen des Weinlaubes vor dem »Schlössel« des Freiherrn von Umstatt in Forst stehengeblieben, ehe er sich auf den Weg zum »Spindler«

oder zum Winzerverein gemacht hat. Es ist erstaunlich, daß die kleinste Weinbaugemeinde weit und breit einsame Spitzen hervorbringt, wie den »Jesuitengarten«, den »Pechstein« oder einen der schwersten seiner Klasse, den »Ungeheuer«.

Die Lagen von Bad Dürkheim, sei es der »Michelsberg«, »Spielberg« und manch andere, deuten schon an, was die Weine weiter nordwärts auszeichnet. Die Namen eines Ungsteiner »Honigsäckel« oder Herxheimer »Himmelreich« verraten eine lieblichere Kreszenz. Wohl fehlt hier manch warmer Unterton rassiger Differenziertheit eines Deidesheimer oder Forster Weines. Aber der nördliche Mittelhaardter, vor allem der Kallstadter ist ein weiches, mundiges, aber keineswegs leichtes Gewächs. Vor dem Genuß eines Kallstadter »Saumagen« ist zu einer kräftigen Mahlzeit zu raten. In Henningers bekannter Saumagen-Weinstube werden dem Gast neben den besten Lagen auch erlesene kulinarische Genüsse geboten.

Unterschätze keiner den Unterhaardter! In Grünstadt, Klein-Karlbach, Bockenheim und auch in Neuleiningen gedeiht ein Riesling, der sich sehen lassen kann.

Nach dieser weinfreudigen Exkursion zurück zur südlichen Weinstraße! In Schweigen grüßt das große Weintor ins Elsaß hinüber. Der Schweigener Gewürztraminer ist der erste Paukenschlag der Pfalzweine, frisch, mundig und kernig wie selten einer. Nach einem guten Schoppen geht die Wanderung weiter nach Dörrenbach, einem von Kastanienwäldern umsäumten mittelalterlichen Städtchen. Mit seinen Schießscharten und Wehrtürmen ist der befestigte Friedhof ein Kuriosum und ohne Beispiel in der Pfalz. Nach der Zerstörung von Schloß Guttenberg wurde er zu einem Bollwerk der Leininger, später der Zweibrücker Fürsten. Er widerstand 1460 fünf Anstürmen der kurpfälzischen Truppen. Für die Toten von

Freund und Feind gab es keinen weiten Weg zur letzten Ruh. Am Wochenende kündigt heute noch ein Anschlag an der Nebenpforte des Kirchhofs den »Klauenschneider« für den kommenden Montag an. Das Dörrenbacher Rathaus zählt zu den schönsten Fachwerkbauten der Pfalz. Sein prächtiger holzgeschnitzter Aufgang (Renaissance) sowie der alte Friedhof sind in Abbildungen dieses Bandes festgehalten.

Eigentliche Pforte zum Wasgau ist Bergzabern. An die Zweibrücker Herrschaft erinnert das Schloß mit seinen hübschen barocken Ecktürmen. Schönster Renaissance-Wohnbau der Pfalz ist das ehemalige Amtshaus, jetzt Gasthaus zum Engel. Als Kneippkurort hat Bergzabern großen Aufschwung genommen. Die gepflegten, von Wald umsäumten Kuranlagen im Westen der Stadt sind Stätten der Erholung und Ausgangspunkt vieler Spaziergänge.

Über Pleisweiler und den hübschen Weinort Gleiszellen führt unser Weg nach Klingenmünster, dem Geburtsort des bekannten Pfälzer Dichters August Becker. Von dem alten Benediktinerkloster ist noch der romanische Westturm erhalten. Auf halber Höhe, zwischen der Leininger Feste Landeck und dem Städtchen liegt die St. Nikolauskapelle mit dem Magdalenenhof. Beschauliche Stille ist um das Kirchlein mit seinen romanischen und gotischen Bögen.

Von der Madenburg über Eschbach reicht der Blick von Heidelberg über Speyer nach Straßburg; südwestwärts breitet sich das lebhafte Gebirgspanorama des Wasgaus aus, wie auch eine Abbildung dieses Buches zeigt.

Seine beherrschende Lage an der Queich hat Landau manche Notzeit eingebracht. Den französischen Königen ist die Stadt lange ein Dorn im Auge gewesen, weil sie, am Schnittpunkt der Paßstraße von Zweibrücken mit dem alten Römerweg nach Straßburg, Gefahr für ihr südliches Land bedeutete. Kaum ein anderer Ort in der Pfalz hat im 30jährigen Krieg so oft den Besitzer gewechselt. Schließlich wird die Stadt für weit über ein Jahrhundert französisch und unter Vauban zu einer starken Festung ausgebaut. Landaus Bürger erleben und feiern die Französische Revolution, um wenig später Zeugen der Greuel einer Guillotine auf dem Paradeplatz zu sein. »Landau ou la mort« ist eine Parole der jungen Republik, für die mancher sterben muß.

Der alten Stiftskirche ist von den späteren Wirren nichts anzumerken. Der stattliche Bau ist würdiger Zeuge von Landaus mittelalterlicher Bedeutung. Die Fresken in der Sakristei (14. Jahrhundert) verraten dem Besucher, daß sich namhafte Maler in dem Ort aufgehalten haben. Die Augustinerkirche fügt sich in weicher Linienführung ins Stadtbild. In ihrem gotischen Kreuzgang ist noch etwas von der Stille zu spüren, die in dem einstigen Eremitenkloster vorgeherrscht haben muß.

Landau gehört zu den wichtigsten Plätzen der Vorderpfalz und ist nach wie vor neben Speyer und Neustadt im Weinhandel federführend. Ein Besuch seines Weinmuseums ist nicht nur für den Freund eines guten Tropfens lohnend.

Die Verse und Lieder des »Bellemer Heiner« dringen durch die ganze Pfalz und klingen dem Winzer, wie dem Tabakbauern und auswärtigen Gast angenehm in den Ohren. Fritz Schneider, einst Bürgermeister und Freund des Heimatdichters, Medicus und Chemiker, war beim Bellheimer Bier daheim. Auf seinen Rat hat die Gemeinde seit vielen Jahren für die Neuvermählten ein ordentliches Handgeld parat. Der Streit um die alte Festung Germersheim – Rudolf von Habsburgs letzten Halteplatz vor dem Sterben – entfachte den bösen Orléansschen Krieg und brachte den schlimmen General Mélac ins Land.

Nach den Weindörfern Albersweiler, Frankweiler und dem klimatisch begünstigten Sanatoriumsort Bad Gleisweiler lädt die Ritterstube in Burrweiler zu einem Vesper mit einem Schoppen »Schäwer« ein. Auch im Rhodter Schlössel lohnt sich beim bekannten Traminer eine Rast inmitten einer Gemäldegalerie. Eine besonders schöne Aussicht hat man von dem am Rand des Haardtwaldes gelegenen Weinort Weyher. Nach einigen Gläsern »Edenkobener Kirchberg« oder »Klostergut« schwebt es sich mit der Sesselbahn angenehm zur Rietburg, die eine weite Aussicht zur Ebene gewährt.

Am Fuße der Haardtberge liegt der malerische Weinort St. Martin. Nach einer beklemmenden Abfahrt von der hohen Kalmit öffnet sich am Ende der Totenkopfstraße plötzlich das Tal: Über die sanften Ränder der Weinberge ragen die Dächer und der Kirchturm des Ortes, und die freundliche Weite der Rheinebene breitet sich nach beiden Seiten aus. Nach den vielen Waldschluchten empfindet der Wanderer den Ausblick zur lieblichen Rebenlandschaft fast wie eine Befreiung. Von Weinlaub umrankt, grüßt an der Kirchhofmauer St. Martin herunter. In der Pfarrkirche befinden sich bemerkenswerte Plastiken, so die Grablegung Christi (um 1520) und ein schönes Doppelgrabmal derer von Dalberg, die lange Zeit hindurch Herren der nahen Kropsburg gewesen sind. Kein Besucher der Pfalz sollte St. Martin übergehen!

In Maikammer wie in Diedesfeld gibt es eine stattliche Anzahl älterer Wohnbauten zu bewundern. Der Gast hat in den zahlreichen Schenken reichlich Gelegenheit, sich durch die verschiedenen Lagen hindurchzuproben.

Von weitem künden die mächtigen Mauern des Hambacher Schlosses (auch Maxburg oder wegen des umsäumenden Kastanienwaldes »Kästeburg« genannt) eine bedeutende Feste der Pfalz an. Schon gegen Ende des 11. Jahrhunderts übergeben die Salier die Burg dem Speyerer Domstift, in dessen Händen sie bis zur Französischen Revolution verbleibt. Wie das Altleininger Schloß wird die Maxburg im Bauernkrieg niedergebrannt. Die wenig glückliche Restaurierung – von den Wittelsbachern nicht einmal zu Ende geführt – hat der Burg dennoch nichts von ihrem stolzen Aussehen nehmen können. Zwei Meter Dicke mißt die Schildmauer, der »hohe Mantel«, der den Palas zu schützen hat. Die gewaltigen Außenmauern, die sich trotzig und frei gegen die Ebene richten, legen Zeugnis von dem strategischen Wert dieser Festung ab.

Als Ruine erlangte das Schloß beim Hambacher Fest nochmals historische Bedeutung. Über 20 000 Menschen aus allen deutschen Gauen, die Heidelberger Burschenschaft eingeschlossen, kamen 1832 in gefahrvoller Zeit hier unter den schwarz-rot-goldenen Fahnen zusammen, um Bekenntnis für ein neues und freies Deutschland abzulegen. In den Schenken Hambachs kann der Gast beim bekannten Riesling von manchem Weinbauern erfahren, wie es damals zu Urgroßvaters Zeiten droben im Schloß zugegangen ist.

Residenz der Weinstraße ist Neustadt. Pfälzer Fleiß hat hier zu Wohlstand geführt, wie dies die stattlichen Wohnbauten in der Altstadt und die neueren Herrensitze an der Haardter Höhe beweisen. Das Glück ist den Neustädtern immer ein wenig zur Seite gestanden. 1688 wird die Stadt von den Franzosen besetzt, aber nicht niedergebrannt wie die meisten Orte der Pfalz. Auch im letzten Krieg ist Neustadt glimpflich davongekommen.

Die alten Neustädter haben es verstanden, etwas aus ihrem Gemeinwesen zu machen. Die Stiftskirche nimmt eine ganze Front des Rathausplatzes ein und zählt zu den schönsten gotischen Gotteshäusern der Pfalz. Im 14. Jahrhundert ist sie Grabkirche der Pfalzgrafen bei Rhein. Nirgends in der Pfalz findet sich ein Marktplatz von diesen Ausmaßen und von ähnlicher Altertümlichkeit. Im schlichten Renaissancehaus an der Ostseite hat Victor von Scheffel geweilt. Die Buchhandlung im Erdgeschoß trägt noch seinen Namen. Ein Gewirr hübscher Gäßchen umgibt den Rathausplatz. Viel altes Fachwerk ist am Speyerbach zu sehen.

Im 16. Jahrhundert ist Neustadt westliches Zentrum der reformierten Kirche. Pfalzgraf Casimir gründet eine eigene Hochschule, weil sich die Heidelberger Universität nicht seinen Wünschen fügen will. Es gehört zu den Kuriositäten der Geschichte, daß später ein Jesuitenkolleg in das Casimirianum eingezogen ist.

Von Neustadt reden heißt auch, sich mit seinen Weinen zu beschäftigen. Proben des »Vogelsang«, »Erkenbrecht« oder »Klausenberg« – um nur einige namhafte Lagen zu nennen – sind nicht nur für den Kenner ein auserlesener Genuß. Die Gimmeldinger »Meerspinne«, die Mußbacher »Eselshaut« wie der Königsbacher »Jesuitengarten« sind Vorboten und Verwandte der Deidesheimer Gewächse.

Zu Füßen der schönen Rathaustreppe von Deidesheim wird nach altem Brauch alljährlich am Pfingstdienstag der Lambrechter Geißbock versteigert. Bereits 699 urkundlich genannt, erhält der berühmte Weinort gegen Ende des 14. Jahrhunderts Stadtrechte. An die Herrschaft des Speyerer Hochstifts erinnert die ehemalige bischöfliche Residenz im Nordosten der Stadt. In den Kellern des berühmten Weingutes v. Bassermann-Jordan steht eine schöne gotische Holzplastik von St. Urban, der wie St. Cyriak Weinheiliger des Landes ist.

Die schönste gotische Kanzel der Pfalz befindet sich in der Pfarrkirche des Weinortes Ruppertsberg. Wer beim Ruppertsberger »Linsenbusch«, »Reiterpfad« oder »Hoheburg« schmausen und das Tanzbein schwingen will, der kehre mit vollem Geldbeutel getrost beim Motzenbäcker ein. Bei dem hübschen Treppenturm des »Schlössel« und den barocken Bauten des bekannten Weingutes Buhl, so glaubt wenigstens der Gast, muß der Zauber des Forster Weines eine Rolle gespielt haben.

Wie verzwickt es einst in der Pfalz zugegangen ist, geht schon daraus hervor, daß Wachenheim vorübergehend im Besitz der Trierer Erzbischöfe gewesen ist. Die kurpfälzische Feste Wachtenburg ist dem Bauernkrieg zum Opfer gefallen. Echten Pfälzer Mut bewies jener Wachenheimer Schankwirt, der sich in einen Zechhandel mit dem trinkfesten Abt von Limburg eingelassen hatte. Als er nach langem Wettstreit schließlich den hohen Herrn unter den Tisch getrunken hatte, winkte ihm hoher Lohn: Der Abt hatte sich im Falle einer Niederlage verpflichtet, die Weinberge des Schankwirts für ewig zehntfrei zu erklären. – Neben dem bekannteren »Gerümpel« vergesse der Gast nicht den »Altenburg Riesling«! Der kann sich mit den besten Deidesheimer Weinen messen. Der Wachenheimer Sekt hat allerorts einen guten Namen!

In Bad Dürkheim wird recht Verschiedenes in die Gläser gefüllt. Die einen verweilen im großen Faß oder in einer der vielen Weinstuben vergnügt beim »Michelsberg«, »Nonnengarten«, »Schenkenböhl« oder beim roten »Feuerberg«. Die anderen schwenken mit saurer Miene in der Brunnenhalle Becher der arsenhaltigen Maxquelle hinunter, weil ihr Blut einer Erneuerung bedarf.

Schon im Mittelalter errichteten hier die Leininger Grafen Salinen zur Salzgewinnung. Wie in Kreuznach haben die solehaltigen Quellen Bad Dürkheim den Ruf einer bedeutenden Bäderstadt eingebracht. In der künstlerisch abwechslungsreichen Gestaltung des Kurparks hat sich die Stadt selbst übertroffen.

Während des Dürkheimer Wurstmarkts strömen Menschen aus aller Herren Länder zum größten Weinfest der Pfalz zusammen. Die wenigsten in den »Schubkarchständen« wissen freilich, daß dieser Markt früher an der Kapelle des St. Michelsberges nach einer Wallfahrt abgehalten worden ist. Vom Benediktinerinnenkloster im Stadtteil Seebach steht noch der spätromanische Ostchor und der achteckige Vierungsturm. In die ehemalige Äbtissinnenwohnung ist das »Käsbüro« eingezogen, in dem der Fein- und Weinschmecker zu seinem Recht kommt.

Über dem Isenachtal liegt das alte Kloster Limburg, baulich nahe verwandt mit dem Speyerer Dom. Bei beiden Gotteshäusern hat Kaiser Konrad II. den Grundstein gelegt. Krypta und weite Teile der Kirche sind frühromanischen Ursprungs. Am Chor finden sich spitzbogige Einlässe. Das Erhaltene läßt eine romanische Wehrkirche von großen Ausmaßen erahnen. Das mächtige Querschiff, das sich einst wie eine Schildmauer gegen die offene Flanke im Westen erhob, gewährte den Mönchen in Notzeiten sicheren Schutz.

Mit der Errichtung der Hardenburg im Isenachtal haben die Leininger Grafen – entgegen ihren Pflichten als Vögte – das stolze Kloster Limburg von seinem Hinterland abgeschnitten und die Mönche halbwegs unter ihre Botmäßigkeit gebracht. Die Hardenburg gehört zu den größten und stärksten Festungen des Landes. Selbst der französische General Mélac konnte nur ihre Außenwerke sprengen. Den Rest haben dann 100 Jahre später die Revolutionsarmeen besorgt. Über vier Meter Dicke mißt der Eingangs- und Kanonenturm. Tiefe unterirdische Gänge verbinden die Außenwerke mit der Hauptburg.

Der Ungsteiner »Herrenberg« und der Leistadter »Kalkofen« sind Vorboten der Kallstadter Spitzenweine. Die alten Niederlassungen der Klöster Weißenburg, Lorsch, Limburg und selbst der Zisterzienser aus Otterberg sind Gewähr dafür, daß in Kallstadt von jeher gepflegter Weinbau betrieben wird.

In keinem andern Ort der Vorderpfalz – Neustadt ausgenommen – ist so viel altertümliches Bauwerk erhalten wie in Freinsheim. Besonders lohnend ist ein Gang längs der alten Stadtmauer. Zahlreiche Torhäuschen spannen sich über das Gäßchen und schmiegen sich mit ihren Aufgängen an die bewährte Schutzwand. Ihr Gebälk haben die Zeiten sanft nach unten durchgebogen. Das Eisentor im Osten ist ein Wahrzeichen des wehrhaften Städtchens. Rasch schließt der Kenner mit dem Freinsheimer »Musikantenbuckel« Freundschaft.

Wie ein italienischer Gebirgsort ist das malerische Städtchen Neuleiningen am Berg zusammengerückt. Von der hochgelegenen Burg reicht der Blick weit in die Ebene, aber auch in das Leininger Tal hinein mit seinen vielen Weihern. Im Chor der Pfarrkirche stehen wertvolle holzgeschnitzte Apostelfiguren aus dem 15. Jahrhundert.

Kein Gast versäume eine Fahrt in das stille und landschaftlich reizvolle Leininger Tal! Einen ganzen Bergrücken nimmt das Schloß Altleiningen ein. Die Grafen haben helle Räume geliebt, wie die vielen Fenster der Außenfront beweisen.

In Grünstadt haben die Altleininger Grafen im Unterhof, die Neuleininger im Oberhof residiert. Am Eingang zum ehemaligen Marstall (jetzt Mälzerei Schlichting) ist an beiden Pfosten eine Postkutsche im Flachrelief zu sehen. Beim alljährlichen »Weinwettstreit der Unterhaardt«, am 1. Sonntag im Oktober, bringt es der Grünstädter »Höllenpfad« jeweils zu einem der ersten Plätze.

An den Ufern des Rheins

Auf dem Weg von der Deutschen Weinstraße nach Frankenthal versäume keiner, der katholischen Pfarrkirche in Laumersheim einen Besuch abzustatten. Hier findet sich in der Plastik von St. Stanislaus Kostka jene barocke Gelöstheit, die den Adel des Geistes und die Wärme des Ausdrucks so sehr in sich zu vereinen vermag. Das Augustiner-Chorherrenkloster hat Frankenthal über Jahrhunderte zu seinem geistigen Profil verholfen. An seiner Westfront, nahe dem Rathausplatz treffen in vornehmer Abgewogenheit zwei verschiedene Zeitalter aufeinander. Die Bögen der Seitenschiffe schließen nur angedeutet spitz. Am Hauptportal dagegen entfalten sich feingegliederte spätromanische Säulen des beginnenden 13. Jahrhunderts in ihrer lebhaften vielstufigen Pracht. In den Räumen des Klosters finden im 16. Jahrhundert Reformierte aus verschiedenen Ländern Zuflucht. In Frankenthal hat es eine holländische, wallonische und deutsche Kirchengemeinde gegeben. Durch ihr Geschick in der Tuchfertigung verhalfen die Einwanderer der Stadt zu neuer wirtschaftlicher Bedeutung. Auch die Porzellanmanufaktur gelangt zu rascher Berühmtheit, ebenso die später errichtete Druckmaschinenfabrik.

Aus der alten Rheinschanze ist die jüngste Stadt der Pfalz hervorgegangen. Ludwigshafen hat sich seine Jugendlichkeit bewahrt. Unbekümmert zieht es alles heran, was zum Wohlstand einer modernen Stadt notwendig ist. Mit über 20 km Länge entsteht der größte linksrheinische Binnenhafen. Die Großindustrie, von den alten Städten gemieden, erhält so viel Raum, wie sie bedarf. Die Badische Anilin- und Sodafabrik (BASF) kann sich von der Friesenheimer Straße zum Rheinufer und im Stadtteil Oppau nach eigenem Ermessen ausweiten. Nicht anders ist es bei den pharmazeutischen Werken der Firma Knoll AG, der Chemischen Fabrik Dr. Raschig, oder bei der Maschinenfabrik Halberg.

Die furchtbaren Wunden des letzten Krieges wurden mit ungewöhnlichem Elan beseitigt. Moderne Zweckmäßigkeit und die monumentale Eindringlichkeit glatter Flächen zeichnen das heutige Stadtzentrum aus.

Schon im 6. Jahrhundert ist Speyer fränkische Bischofsstadt. An die römische Herrschaft erinnert im historischen Museum eine Amphora (aus dem 3. Jahrhundert n. Chr.) mit noch flüssigem Wein. Zur Domstadt wird Speyer durch Kaiser Konrad II., der auch in der Krypta beigesetzt ist. Unter Heinrich IV. erhält die Kirche bauliche Ausmaße, die weit über alles Bisherige reichen. Das große Wagnis, im Romanischen die Schiffe zu wölben, ward eingegangen und mit Erfolg bestanden. Was später im Gotischen selbstverständlich ist, wird hier in Speyer mit den Mitteln des Überkommenen gelöst, ohne jene Veränderung von Höhe und Breite. Im ganzen Abendland findet sich nichts Vergleichbares. Salische und staufische Kaiser haben der Stadt jeden möglichen Schutz gewährt. Das große Gotteshaus entspricht ihren Vorstellungen von Größe, Macht und zeitloser Beständigkeit.

Speyer war auch Stadt der Reichstage. Im Jahre 1526 legten hier die lutherischen Stände ihre Protestation gegen die Entscheidung König Ferdinands vor. Es sollte die weltweite Stunde des Protestantismus werden.

Die glanzvolle Pracht einer bedeutenden mittelalterlichen Stadt mit einer Vielzahl von Türmen, Kirchen und Wehren breitet sich auf den alten Stichen von Speyer aus. Goethes zarte Zeichnung aus dem Jahre 1779 zeigt schon das Speyer unserer Tage. Zwischen beiden Darstellungen liegt das Schicksal der Zerstörung, das die ganze Pfalz ereilt hat.

Als Zeuge des 13. Jahrhunderts ist das stolze Altpörtel erhalten geblieben. Immer noch ist der Speyerer Dom die größte romanische Kirche des Kontinents. Seinen Ostteil haben die Bewegungen der Zeit nie ernstlich verwunden können. In seiner Krypta ruhen die Särge deutscher Kaiser und Könige. Die jüngste Restaurierung hat den Schiffen des Gotteshauses ihre ursprüngliche Schlichtheit wiedergegeben. In seinen Räumen, in denen einst Bernhard von Clairvaux zum Kreuzzug aufrief, ist heute noch die Kraft und Macht frühmittelalterlicher Gläubigkeit zu spüren.

Unsere Pfalzreise ist zu Ende. Sie hat von der Nahe zum Glan, vom Zweibrückerland nach Kaiserslautern geführt. Sie durchstreifte den Wasgau, um später gemächlich von einem Weinort zum anderen nach Speyer zu gelangen. Sie wollte in einer Zeit rastloser Südwanderungen dem Leser und Betrachter diese reizvolle deutsche Landschaft in Erinnerung bringen.

Toward the Palatinate

Klopp Fortress above Bingen and the Long Rüdesheim Slope testify to the joining of the Nahe and Rhine Rivers. The Drusus Bridge, resting on ancient Roman foundations, connects the steep banks of the Nahe, which accommodate the renowned vineyards of Bingen. Lovers of wine will stop off in Langenlonsheim or Münster-Sarmsheim for Frühschoppen, the traditional late-morning glass of wine.

The traveler can stroll for hours through the old quarter of Bad Kreuznach, delighting in an almost endless succession of views. The streams that once washed along the old houses of the tanners have long since been led underground. Under the foundations of beautiful Nikolaus Church there still flows a broad rivulet which lends a pleasant coolness to this holy house. On the Eier- and Salz (egg and salt) Market one can see old half-timber houses. The two market squares are connected by a narrow lane.

Little remains of the old Kauzen Fortress of the Counts of Sponheim. But the fortress affords a particulary lovely view of the city.

Kreuznach's "Little Venice" lies on the Ellerbach. Despite the crowding of buildings here, houses and water join to create a leisurely, friendly atmosphere.

The last highpoint of the old quarter is the Bridge Houses over the Mühlenteich (mill pond).

With the discovery here of radium springs, Councillor Dr. Prieger laid the cornerstone of this spa. Not until 1956 was it possible to restore the beautiful Kurhaus to its former condition. In the last two decades Kreuznach has become a leading radio-active bathing place. Rheumatism, female and children's illnesses, and chronic inflammations of the upper respiratory passages are successfully treated here.

To the north, near Bad Münster, stands a massive, precipitous outcropping of porphyry. Before the Nahe essays a break-through to Kreuznach here, it spreads at Rheingrafenstein to form a lake, which today is an exercise-ground for boats and swans. As early as the 15th century, salt was mined in Münster. Rheingrafen Spring is the warmest of the entire valley. These healing waters are not unlike those of Kreuznach.

For centuries the town was a possession of the nobility at Rheingrafenstein Fortress. The Rhine Counts loyally supported the Sponheims in their feuds with the Archbishopric of Mainz.

Between the valleys of the Nahe and Alsenz rises the Ebern Fortress, ancestral seat of the Sickingens and Hutten's famous "refuge of justice". In the years of its fame, Franz of Sickingen here received the messengers of the nobility and of the German emperors, but also the emissaries of Luther and of the French kings.

In the Alsenz Valley, successive sharp rises compel the river and road to tight curves. On a promentory the Altenbaum Fortress blocks the approach to the valley on two sides. A mighty curtain-wall protects it from attack from the east. The Counts of Rau were the lords of the fortress until the end of the 15th century.

In the distance the Landsberg Fortress proclaims the town of Obermoschel. Massive ruins give final testimony to one of the largest fortresses in the state. After the lords of Schiedberg in the possession of the Veldenz, the fortress came via marriage into the hands of the Palatine Wittelsbachs.

Meisenheim welcomes the traveler with a picturesque low tower on the Glan. In the lanes and streets there is ample opportunity to admire the old half-timber homes of the nobility and burghers. The Rathaus (municipal hall), with its high pointed arch and lovely Renaissance oriel, is the show-piece of the town. In the west the rear gardens of the houses are bordered by the old city wall, with its embrasures and bulwarks.

Of the Castle of the Dukes of Zweibrücken, the Magdalene-Wing, with its beautiful staircase-tower, remains.

The largest house of God on the Glan is the Castlechurch of Meisenheim. A roofed passage-way connects the old commandery of the Order of St. John with the church courtyard. The most beautiful part of the church interior is the double-vaulting of the crypt-chapel. The filaments of the double-network are interwoven with the playful ease of which only the late gothic period was capable. The lower network – one marvels at the sureness with which the architect proceeded – is held in free suspension.

Via Lauterecken, once the seat of the collateral line of the Dukes of Zweibrücken, the way leads to Offenbach on the Glan. The Benedictine Church here is among the most important edifices of the transitional style. The might of the romanesque is not yet broken. The horizontal is still of import. The marvellous ornamental columns in the choir – pictured in this book – and the blinds of the intersection are entirely carried out in the spirit of the late romanesque. But above, over the capital, a new era begins. The arches seek height and close in a point.

Kusel, an important center in Westrich, lies beyond a sharp bend of the Glan, in a sort of basin. In the early middle ages the town was under the sway of the Remigius Monastery and, with it, Reims.

Only gradually do the Counts of Veldenz gain influence as stewards of the monastery. Finally, in the form of Lichtenberg Fortress, they confront the monastery with a mighty barricade.

The Counts and the succeeding Dukes of Zweibrücken enlarge Lichtenberg so that it becomes the largest fortress in the Palatinate. A picturesque part of the huge fortress is the second entrance-tower, with the county-chancellery. This is to be seen in a picture in this book.

Only a skeleton wall remains of the lower, older fortress ramparts. Lichtenberg, a favorite residence of the Dukes of Zweibrücken, was not destroyed at the hand of an enemy. A conflagration originating in the tithe barn made an end to the huge fortress.

In the Zweibrücken Region

In 1353, Zweibrücken together with Hornbach attains city-status. But the rule of the counts is soon to end. Shortly afterward they sell Zweibrücken to the Electors-Palatine.

After division of inheritance, the independent collateral line of the Dukes of Zweibrücken comes into existence. Soon the Duke occupy a place in the Imperial Assembly just beneath that of the Elector-Princes. Through their Birkenfeld line they later furnish the dynastic origins of the Wittelsbachs.

Zweibrücken is a baroque city, and was the Salzburg of the Palatinate. The residence and the city-center, like the constructions of the Duke's Suburb, as well as Guttenbrunnen Castle, were all shaped by the spirit of this epoch.

In the evening hours of 14 March 1945, baroque Zweibrücken sank into debris and ashes. Of the beautiful city-center, little remains. Great efforts have been made to rebuild in accordance with original designs. The Alexander Church again towers above the roofs of the city. Unfortunately, the famous late Gothic vaulting-network fell victim to air attacks. How charming the staircase-tower at the entrance! The ascent to prince's loge and the tracery of the gallery show the high state of Zweibrücken filigree-work. Numerous tomb-tablets remind that the Alexander Church was not only the court church but also served for burial as well.

On the west side of the Castle Square stands the archive-building. Least damaged are the rococo houses of the Duke's Suburb.

A new, modern Zweibrücken has meanwhile grown up, whose planning shows itself to be worthy of the grand past.

Among the oldest Christian settlements of the state is Hornbach Monastery, on the road to Bitsch. The founder of Reichenau, St. Pirmin, erected his tenth and last monastery here in the beginning of the 8th century. Not until a few years ago was his tomb discovered, and a chapel was erected on the venerable foundations. In the last war the cloister – over centuries hidden by farmhouses – and the old Fabian Monastery were found and unearthed. The south-tower of the monastery still stands near the road between the roofs.

The stone monk at the end of the round arch which supports the vaulting of the crypt was protected from destruction by centuries-long accumulation of earth. The southern part of the monastery is of later date and shows elements stemming from the 11th and 12th centuries.

In the courtyard of the monastery old monks' graves are to be seen. The grave covers were sealed tight. When the coffins were opened a few years ago, the remains of the monks lay just as they had when they were emplaced.

Around Pirmasens and Kaiserslautern

Pirmasens, as the name indicates, is one of the earliest foundings of the monastery erected by St. Pirmin, Hornbach Monastery. The place probably would have remained insignificant had it not been for Landgrave Ludwig and his grenadiers. "Little Prussia" in the Palatinate, thank God, was never forced into a belligerent decision. The Hessian treasury kept the pay of the "long guys", as the soldiers were called, rather low. The soldiers' wives therefore began early to look about for extra work. Using military belts and other of the Landgrave's goods, they began to make house-shoes, which quickly found favor at nearby markets.

Like most cities of the Palatinate, Pirmasens was fated to experience many severe trials. But the though resolution of its inhabitants led each time to a new beginning for both the city and its shoe industry. In the First, particularly in the Second World War, Pirmasens, though hard hit, managed to maintain its leading position in shoe manufacture.

Gelterswoog, favorite haunt of Kaiserslautern's bathing enthusiasts, is the largest and probably the most beautiful bathing strand in the Palatinate. Not far away, at a commanding height, stands Hohenecken Fortress, once the southwesterly defensive bastion of the Imperial Palace (Kaiserpfalz) of Friedrich Barbarossa. This important fortress of the middle-Palatinate was already in the possession of the Lauterns in the 12th century. Behind its broken walls lies Vogelweh, an island of modernity and the largest American settlement on the Continent. "Little America" seems unwilling to come to an end at the encircling woods, into which its streets flow.

Kaiserslautern lies at a major junction of the old King's Road from Worms to Saarbrücken and of the hardly more recent connecting road between Mainz and Pirmasens.

Of the Franconian royal court Lutra, as of the Staufian Imperial Palace, little remains. All that is left is the church that Emperor Barbarossa built for the Premonstratensians, which now as formerly rises over the roofs of the city.

Declared a Free Imperial City by Rudolf of Habsburg in 1276, Kaiserslautern fell a hundred years later into the hands of the Elector-Princes of the Palatinate. The city was hard hit during the Thirty Years' War. A mere tenth of its inhabitants survived the terrible "Croatian storm". Kaiserslautern is a city of woods. Surrounding its walls, easily accessible to all, lie the slopes of the Palatine Forest.

Also on the old Imperial Road to Saarbrücken lies Landstuhl, like Kaiserslautern, once the residence of the Frankish kings. At Nanstein Fortress, Franz of Sickingen fell to an enemy bullet, while under seige of the armies of Trier, Hesse and the Palatinate. His sons later built him a stately gravesite and expanded the fortress to a Renaissance palace.

Just a few kilometers east of Kaiserslautern lies the well known Convent Church of Enkenbach. It is not difficult to recognize the different epochs which have worked on the construction. The most important and famous part of the church is the main portal. The "vineyard of the Church" is portrayed here in the richest late-romanesque decor.

In nearby Otterberg the Cistercians, true to their tenets, built God's house in the valley-bottom. Numerous monastery farms must have once stood about the huge church of yellow sandstone. The extent to which the purity of lines is maintained, even in the graduation of the 16 columns at the main portal, can be seen in a beautiful picture in this volume.

Romanesque and early gothic elements intertwine in Otterberg. The relatively short construction period – only three generations of stonemasons were at work here – has helped the church achieve an incomparable unity.

Palatine Forest and Wasgau

The Palatine Forest, Germany's largest natural park, is among the few oases of quiet and solitude remaining to us.

Ancient conifers gird "Johanniskreuz" (St. John's Cross), the watershed between the Rhine and Moselle. On the summits one sees numerous old Imperial fortresses.

The way from Johanniskreuz to Annweiler or Merzalben is beautiful. And then the road to Kalmit! In lively serpentine turns the way wends upward. Lovely views into the plain and the flanking valleys give repeated occasion to stop. The second-highest mountain of the Palatinate affords a magnificent panorama in all directions. Then as from a pass-road one descends between precipitous cliffs and wild curves to Elmstein. Like Trippstadt and many towns in the area, Elmstein is a favored destination for those who seek quiet.

Modenbachtal, on the other hand, recalls the foothills of the Alps. There is lively herding activity on the evergreen-lined meadows. No one fails to take the short trip by foot to the "Schänzel", an outlook-tower built in honor of those who fell in 1794. From here one has a circular view of the entire Palatine Forest.

The most charming landscape of the Palatine Forest is provided by the Wasgau. One sees a lively succession table-top and cone-shaped mountains, here and there interrupted by more gentle mountain-ridges. Outcroppings of sandstone have resulted in rock masses of bizarre shape, which are visible at irregular intervals on the slopes. In the vicinity of Dahn, noted for its healthful air, these masses are so numerous that one speaks of the "rocky land of Dahn".

One of the most beautiful views of the Wasgau is to be had from the ruins of Lindelbrunn Castle.

Among the well known rocky fortresses are Altdahn Fortress and Drachenfels, the Wegelnburg and above all, Berwartstein Fortress. The ascent to the latter, formed by a steep, chimney-shaped rock formation, proved insuperable to attackers. Berwartstein is one of the few rebuilt fortresses in the Palatinate. Its system of subterranean passages, deep in the rocks, is astonishing. Its well, over two meters in diameter, extends down more than 100 meters to the valley-bottom.

The most royal fortress of the Wasgau is the Trifels. On neighboring peaks sit the fortresses of Anebos and Scharfenberg, which belong to the Trifels group. One recognizes from the massiveness of the old Chapel Tower that Trifels was an important Staufian imperial fortress. The imperial treasury was deposited in the fortress in times of emergency.

At the feet of Trifels lies the lovely town of Annweiler. The marketsquare is lined with attractive half-timber houses. Particulary charming is a way along the Queich, which ends at an old mill-wheel. Annweiler owes its city-rights to its patron, the last great Staufian emperor, Friedrich II.

Along the German Wine Road

From the mountains and fortresses of the Haardt one can see the borders of the wine areas. From the Madenburg or Maxburg one has no difficulty seeing how the border of the vineyards has been extended – along with the limits of the towns of the Central-Haardt. Pfalz wine doesn't go down as easily as its aristocratic counterpart of the Rhine; but it does not weigh down like the earthy, bouquet wines of Baden. It is more masculine than its brothers in the north – more balanced, warmer than its southern neighbors.

Once the guest has tried the famous omelet with mushrooms in the Dalberg Winzergenossenschaft (Vintners Association) in St. Martin, he will easily wash it down with a Spätlese (a wine made of late-picked grapes) of Dalberg Riesling (a type of grape).

Deidesheimer! When it has had its full measure of sun, no other German wine can stand up to it. The supple elegance of a Kieselberg, Hofstück or a Leinhöhle, to mention just a few names – no other wine can conjure their tingling freshness and the urge to happy laughter which they engender with each swallow.

It is just a stone's throw from Deidesheim to Forst. But the wine of Forst is to Deidesheimer like a half-brother to a late-born. It is of a sensual, full ripeness and not so extravagant as its southern relation. In the Heavy Forster Spätlesen there lies a breath of ancient wisdom which makes maturation easy for the youth and aging bearable for the white-haired boy.

The vineyards of Bad Dürkheim, whether the "Michelsberg" or "Spielberg", already point to that which distinguishes the wines farther north. Such names as the Ungstein "Honigsäckel" (Honey Sack) or Herxheim "Himmelreich" (Heavenly Kingdom) betray a sweeter origin. There is lacking here the warm undertone of racy subtlety found in the Deidesheim or Forst wines. But the northern Mittelhaardter, particularly the Kallstadter, is a soft, pleasing grape. Before having the pleasure of a Kallstadt "Saumagen" it is advisable to eat hearty meal.

Let no one underestimate the Unterhaardter! A Riesling prospers in Grünstadt, Klein-Karlbach, Bockenheim and also in Neuleiningen which is quite tolerable.

After this joyful wine excursion, we now turn back to the southern Wine Road. In Schweigen the huge wine-gate looks over into Alsace. In Dörrenbach is a fortified cemetery which, with its embrasures and defensive towers, is a curiosity without parallel in the Palatinate. After the destruction of Guttenberg Castle, it became a bulwark of the Leining princes, and later of the princes of Zweibrücken.

In 1460 it withstood five onslaughts of the troops of the Palatinate Elector.

For the dead of both friend and foe it was only a short distance to their last place of rest. The Dörrenbach Rathaus (municipal hall) is among the most beautiful half-timber constructions of the Palatinate. Its magnificent wood-carved ascent (Renaissance), as well as the old cemetery, are pictured in this volume.

The actual gateway to the Wasgau is Bergzabern. The castle, with its lovely baroque corner-towers, recall the rulers of Zweibrücken. The former municipal hall, now the Engel Inn, is the most beautiful Renaissance residence in the Palatinate. Bergzabern experienced a notable upswing as a Kneipp spa.

Our way leads above Pleisweiler and the lovely wine-town Gleiszellen to Klingenmünster. The romanesque west-tower of the old Benedictine Monastery still stands.

From Maden Fortress, above Eschbach, the view extends from Heidelberg, via Speyer, to Strasbourg. To the southwest unfolds the lively mountain panorama of the Wasgau, as shown in one of the pictures in this book.

The commanding position of Landau on the Queich has brought it into considerable peril. The city was long a thorn in the eye of the French kings. Scarcely another city in the Palatinate so often changed hands during the Thirty Years' War. The city finally became French for a period of more than a hundred years and, under Vauban, was transformed into a strong fortress.

The later chaos resulting from Landau's participation in the French Revolution left no mark on the old cathedral. The stately construction is worthy testament to the significance of Landau in the Middle Ages. The Augustinian Church fits into the overall city pattern.

Landau is one of the most important sites of the anterior-Palatinate and, now as formerly, is the leading city in wine trade after Speyer and Neustadt. A visit to the Wine Museum is well worth the trouble.

The dispute over the old fortress Germersheim – the last stopping place of Rudolf of Habsburg before his death – loosed the devastating Orleans War and brought General Mélac into the area.

It is a pleasant ride on the chair-lift to Riet Fortress, which affords a panoramic view of the plain.

At the foot of the Haardt Mountains lies the picturesque wine-town St. Martin. Above the soft rises of the vineyards the roofs and church-towers of the town, and the friendly expanse of the Rhine Plain unfolds on both sides. Surrounded by grapevines, St. Martin looks down from his place near the wall of the church-courtyard. Notable statuary is to be seen in the Parish Church. No visitor should pass up St. Martin.

In both Maikammer and Diedesfeld there are many old houses to admire.

From a long distance the mighty walls of Hambach Castle can be seen – an important fortress of the Palatinate. Toward the end of the 11th century the fortress is handed over by the Saliers to the Speyer Cathedral Monastery, in whose possession it remains until the French Revolution. Like the Altleining Castle, it is burned to the ground in the Peasants War. The curtain-wall, the "high mantle", which is designed to protect the castle, measures two meters thick.

As a ruin the castle once more attained historical significance – as the site of the Hambach Fest. More than 20 000 persons from all districts of Germany gathered here in 1832 under the black-red-gold flag to pledge themselves to the struggle for a new and free Germany. The Hambach Fest was a milestone in Germany's long struggle for unity and nationhood, not achieved until 1871.

The capital of the Wine Road is Neustadt. Palatine industriousness has led to prosperity here, as the stately residences in the old quarter and the new villas on the Haardt Heights indicate. Luck has always avoided the Neustadters somewhat. In 1688 the city was occupied by the French, but not burned down like most towns in the Palatinate. Neustadt also escaped the last war without damage.

The old Neustadters have always known the art of making something of their community. The cathedral takes up an entire side of the Rathaus square and figures among the most beautiful gothic churches in the Palatinate. In the 14th century it was used as a crypt by the Rhenish Counts Palatine. Nowhere in the Palatinate is a marketsquare of such dimensions and of such antiquity to be found. In Speyerbach one can see a good deal of old half-timber.

In the 16th century Neustadt was the western center of the Reformed Churches. Count Palatine Casimir founded a university here because the University of Heidelberg refused to bow to his wishes.

To speak of Neustadt also means to occupy oneself with its wines. Sampling the "Vogelsang", "Erkenbrecht" or "Klausenberg" is a memorable pleasure. The Gimmelding "Meerspinne", the Mussbach "Eselshaut" and the Königsbach "Jesuitengarten" are harbingers of the Deidesheim wines.

At the foot of the beautiful Rathaus stairs the Lambrecht Goat is annually auctioned off, according to old custom, on Pentecost. Already mentioned in records dating 699, the famous wine-town attains city-rights toward the end of the 14th century. The former bishops' residence in the northeastern part of the city recalls the lords of the Speyer Cathedral.

The most beautiful gothic pulpit in the Palatinate is to be found in the Parish Church of the wine-town Ruppertsberg.

How complicated things were in the Palatinate is indicated by the fact that Wachenheim was once a possession of the Archbishops of Trier. The Wachtenburg Fortress of the Elector-Princes of the Palatinate fell victim to the Peasants War. In addition to the well known "Gerümpel" wine, the guest should not forget the "Altenburg Riesling". It compares favorably with the best Deidesheim wines.

Bad Dürkheim offers a wide variety of wines. Some will linger near the huge barrels, or in one of the many wine-taverns, enjoying a "Michelsberg", "Nonnengarten", "Schenkenböhl" or with a red "Feuerberg". Others, seeking revitalization of their blood, will quaff a cup of mineral water (containing arsenic), making a sour face, in the Spring-hall.

The city outdid itself in the design of the Kur-park, rich in artistic variation.

During the Dürkheim Sausage Market people stream from all over to this largest wine festival of the Palatinate. Of the Benedictine Convent in the Seebach quarter of the city, the late romanesque east-choir and the eight-sided intersection-tower still stand. The "Käsbüro" has moved into the former residence of the abbess, where excellent food and drink are now available.

On the other side of the Isenach Valley lies the old Limburg Monastery, whose construction is related to that of the Speyer Cathedral. Emperor Konrad II laid the cornerstones for both. Many parts of the church, including the crypt, are early romanesque. Pointed-arch entrances lead to the choir. The remains point to a fortified gothic church of great dimensions.

With the erection of the Harden Fortress in the Isenach Valley the Counts of Leining – in contravention of their duties as stewards – cut off the proud Limburg Monastery from its hinterland and brought the monks partially under their jurisdiction. The entrance-guntower measures more than four meters thick. Deep subterranean passageways connect the ramparts with the main fortress.

Ungstein "Herrenberg" and Leistadt "Kalkofen" are harbingers of the choicest wines of Kallstadt. The old settlements of the Weissenburg, Lorsch and Limburg Monasteries, and even the Cistercians from Otterberg, are guarantors that cultivated wine production is carried on in Kallstadt.

In no other town of the anterior-Palatinate is so much ancient construction preserved as in Freinsheim. Particularly rewarding is a walk along the old city-walls. Numerous gatehouses extend over the tiny lane and cling with their ascents to the venerable defensive wall.

Picturesque Neuleiningen nestles against the mountains like an Italian mountain town. From the fortress high on the slope one can see far into the plain. In the choir of the Parish Church there are valuable Apostle figures carved of wood in the 15th century.

Altleiningen Castle takes up an entire mountain ridge. The counts loved light rooms, as the many windows in the facade indicate.

In Grünstadt, the Counts of Altleining resided in the lower villa, the Counts of Neuleining in the upper villa. In the annual "Wine Competition of the Lower-Haardt", Grünstadt "Höllenpfad" often takes firstplace.

On the Banks of the Rhine

On the way from the German Wine Road to Frankenthal, no one should fail to pay a visit to the Catholic Parish Church in Laumersheim. Here one finds baroque detachment in the statue of St. Stanislaus Kostka. Over centuries the Augustinian Canons' Convent has lent Frankenthal spiritual significance. On its west facade, near the Rathaus Square, two epochs meet in distinctive balance. The arches of the nave have just the suggestion of a point. At the main portal, on the other hand, one finds the full and subtle glory of late-romanesque columns from the early 13th century. In Frankenthal there were Dutch, Walloon and German church communities. Through their skill in cloth-making, immigrants helped the city find new economic significance. Porcelain manufacture also achieved quick fame, as did the later-established printing press factory.

The newest city of the Palatinate developed out of the old fortifications of the Rhine. Ludwigshafen has preserved its youthfulness. Unconcerned, it attracts everything which is necessary for the prosperity of a modern city. It has the largest left-bank harbor on the Rhine, extending 20 kilometers. Heavy industry, avoided by the old cities, here finds as much room as it needs. The Badensian Aniline and Soda Factory spreads leisurely from Friesenheimer Street to the Rhine as well as in the quarter of Oppau. Similarly spread out are the Knoll Pharmaceutical Works, the Chemical Factory of Dr. Raschig and the Halberg Machine Factory. The Walzmühle has become the largest German mechanical mill.

The terrible wounds of the last war have been healed with unusual vigor. Hallmarks of today's inner-city are functionalism and emphasis on monumental flat surfaces.

Speyer was already a bishopric in the 6th century. The cathedral was erected by Emperor Konrad II, who is buried in the crypt. The cathedral was significantly enlarged during the reign of Heinrich IV. In an act of daring, vaulting was successfully added to the romanesque naves. There is nothing comparable in the Occident. Both Salian and Staufian emperors afforded the city every possible protection. The huge house of God completely accords with our ideas of grandness, might and timeless steadfastness.

The proud Altpörtel (city-gate) has been preserved as a witness of the 13th century. The Cathedral of Speyer is the largest romanesque church on the Continent. The ravages of time have scarcely touched its eastern section. In its crypt lie the coffins of German emperors and kings. Recent renovation has restored the naves to their original simplicity.

Our journey through the Palatinate is at an end. It has led from the Nahe to the Glan, from the area of Zweibrücken to Kaiserslautern. It took us through the Wasgau, whence we leisure went from one wine-town to another, eventually to reach Speyer.

Bad Kreuznach

Bad Kreuznach,

die Brückenhäuser
the bridge-houses
les péages

Bad Münster am Stein   ▶

Ebernburg bei Bad Münster am Stein
Ebernburg Castle near Bad Münster am Stein
Château d'Ebernburg près de Bad Münster am Stein

Burg Lichtenberg bei Kusel
Lichtenberg Castle near Kusel
Château de Lichtenberg près de Kusel

Burg Lichtenberg bei Kusel
Lichtenberg Castle near Kusel
Château de Lichtenberg près de Kusel

Altenbaumburg
Altenbaumburg Castle
Château d'Altenbaumburg

37

Meisenheim am Glan

Benediktiner-Kirche
Benedictine Church
L'église des Bénédictins

…manische Säulengruppe
…Romanesque pillar group
…nes de l'époque romane tardive

Klosterkirche Enkenbach
Conventual church of Enkenbach
L'église du couvent à Enkenbach

Kaiserslautern,

Marktplatz mit Stiftskirche
Market Square with cathedral
Place du marché avec cathédrale

Rathaus
Town hall
L'hôtel de ville

Apostelkirch
Apostles' C
Eglise des A

Landstuhl

Burg Nanstein bei Landstuhl,
Grabkammer Franz von Sickingens
Nanstein Castle near Landstuhl,
tomb of Franz von Sickingen
Château de Nanstein près de Landstuhl,
caveau de Franz von Sickingen

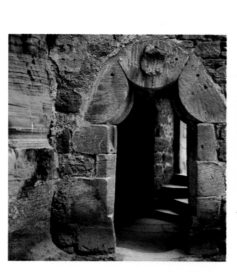

Mönchsgräber in Hornbach
Monks' graves at Hornbach
Tombeaux de moines à Hornbach

Burg Hohenecken bei Kaiserslautern
Hohenecken Castle near Kaiserslautern
Château de Hohenecken près de Kaiserslautern

Zweibrücken, ehemaliges Residenzschloß ▶
Zweibrücken, former residence castle
Deux-Ponts, ancienne résidence princière

Burg Berwartstein bei Erlenbach
Berwartstein Castle near Erlenbach
Le château de Berwartstein près d'Erlenbach

◄　Im Pfälzer Wald
In the Palatine Forest
Dans la Forêt du Palatinat

Die »Kanzel« bei Pirmasens
The "Pulpit" near Pirmasens
La «Chaire» près de Pirmasens

Burgengruppe bei Dahn: Altdahn, Grafendahn und Tanstein
Castle group near Dahn: Altdahn, Grafendahn and Tanstein
e de châteaux à Dahn: Altdahn, Grafendahn et Tanstein

»Teufelstisch« bei Hinterweidenthal
The "Devil's Table" at Hinterweidenthal
La «Table du Diable» près de Hinterweidenthal

Im Wasgau ▶
In the Vosges
Paysage du Wasgau

Pirmasens

Dörrenbach

Rebenzuchtanstalt bei Albersweiler
Viticultural establishment near Albersweiler
Etablissement de culture viticole près d'Albersweiler

Bad Bergzabern,

Renaissancebau Gasthaus zum Engel   ▶
Renaissance-building Hotel The Angel
l'auberge de l'ange, bâtiment de la Renaissance

Annweiler-Bindersbach mit Trifels   ▶ ▶
Annweiler-Bindersbach with Trifels
54   Annweiler-Bindersbach avec Trifels

Frühling bei Edenkoben
Spring near Edenkoben
Les environs d'Edenkoben au printemps

Herbstlicher Wasgau
Autumnal Vosges
Le Wasgau en automne

Landau,

Stiftskirche
Cathedral
Eglise collégiale

gotischer Kreuzgang des ehemaligen Augustinerklosters
gothic cloister of the former Augustinian monastery
cloître gothique de l'ancient couvent des Augustins

Annweiler

St. Martin

Rhodt

Annweiler

Diedesfeld

artin

Burrweiler

Rhodt

Neustadt,

Stiftskirche
Cathedral
Eglise collégiale

Altstadt
Old Town
Vieux quartier

Marktplatz
Market square
Place du marché

Das Hambacher Schloß (Maxburg) im Hintergrund
Hambach Castle (Maxburg) in the background
Au fond, le château de Hambach (Maxburg)

Das Hambacher Schloß (Maxburg) im Hintergrund
Hambach Castle (Maxburg) in the background
Au fond, le château de Hambach (Maxburg)

Weinlese an der Weinstraße
Grape harvest on the Weinstrasse
Vendange sur la route du Vin

◄ Laubengang von Kloster Heilsbruck in Edenkoben
Arbor at Heilsbruck Monastery in Edenkoben
Charmille au couvent de Heilsbruck à Edenkoben

Hambacher Schloß
Hambach Castle
Château de Hambach

»Schlössel«
"Little Castle"
»Petit Château»

Ein Marterl an der nördlichen Weinstraße
Memorial tablet on the northern Weinstrasse
Croix au bord de la route du Vin septentrionale

Gleiszellen   ▶

Deidesheim,

Rathaus
town hall
la mairie

In Deidesheim
At Deidesheim
A Deidesheim

Seebach

◄ Freinsheim,

Stadttor
Town-gate
porte de la ville

Bad Dürkheim,

Wurstmarkt
Sausage Fair
la foire à la saucisse

Winzerkeller ▶
cellar of a vintnar
cave d'un vigneron

Kloster Limburg an der Haardt
Limburg Monastery on the Haardt
Couvent de Limburg/Haardt

Hardenburg bei Bad Dürkheim, Innenhof ▶
Hardenburg Castle near Bad Dürkheim, the court-yard
Château de Hardenburg près de Bad Dürkheim, la cour

Schloß Neuleiningen
Neuleiningen Castle
Château de Neuleiningen

oß Altleiningen
iningen Castle
eau d'Altleiningen

Laumersheim,

barocker St. Stanislaus Kostka
baroque statue of St. Stanislaus Kostka
statue baroque de St. Stanislas Kostka

Neuleiningen,

Apostelfigur in der Pfarrkirche
Apostle statue in the parish church
statue d'un apôtre dans l'église paroissiale

Frankenthal,

Zwölf-Apostel-Kirche
Twelve Apostles Church
Eglise des Douze Apôtres

Portal des ehemaligen Augustiner-Chorherren-Stifts
Portal of the former Augustinian Canons' Monastery
Portail de l'ancien chapitre des chanoines augustins

Ludwigshafen,

Wilhelm-Hack-Museum mit Miró-Wand
Wilhelm Hack Museum with Miró wall
Décoration de Miró au musée Wilhelm Hack

◄   Landeszentralbank
State Central Bank
Immeuble de la banque fédérale

Ludwigshafen,

Rheinufer
Bank of the Rhine
Rive du Rhin

Brücke am Hauptbahnhof, im Hintergrund der Pfälzer Wald
Bridge at the Main Railway Station, in the background the Palatine Forest
Pont près de la gare, au fond la Forêt du Palatinat

Altpörtel

Giebelhäuser an der Maximilianstraße
Gabled houses on Maximilianstrasse
Maisons à pignons bordant la Maximilianstrasse

»Altes Kaufhaus«
"Old Shop"
Ancien «Kaufhaus»

Speyer, Dom:
Speyer, Cathedral:
Spire, cathédrale:

Mittelschiff
Middle aisle
Nef centrale

Kapitell einer Säule in der Taufkapelle
Capital of a column in the Baptistery
Chapiteau d'une colonne dans le baptistère

Relief am Eingang zu den Kaisergräbern
Relief at the entrance to the Imperial Tombs
Relief à l'entrée du caveau des empereurs

Apsis des Domes
Apse of the Cathedral
Abside de la cathédrale

Speyer, Dom
Speyer, Cathedral
Spire, la cathédrale

Altrhein bei Speyer
Old Rhine near Speye
Bras du Rhin près de